Saggi brevi

12

© 1990 Giulio Einaudi editore s. p. a., Torino

ISBN 88-06-11801-3

Giorgio Agamben

La comunità che viene

Indice

p. 3   I.   Qualunque
   5   II.   Dal Limbo
   7   III.   Esempio
  10   IV.   Aver luogo
  13   V.   *Principium individuationis*
  17   VI.   Agio
  20   VII.   *Maneries*
  23   VIII. Demonico
  25   IX.   Bartleby
  28   X.   Irreparabile
  30   XI.   Etica
  32   XII.   Collants Dim
  36   XIII. Aureole
  40   XIV.   Pseudonimo
  42   XV.   Senza classi
  45   XVI.   Fuori
  47   XVII. Omonimi
  53   XVIII. Schechina
  58   XIX.   Tienanmen

L'irreparabile

p. 63 I
 66 II
 74 III

La comunità che viene

I

Qualunque

L'essere che viene è l'essere qualunque. Nell'enumerazione scolastica dei trascendentali (*quodlibet ens est unum, verum, bonum seu perfectum*, qualsivoglia ente è uno, vero, buono o perfetto), il termine che, restando impensato in ciascuno, condiziona il significato di tutti gli altri, è l'aggettivo *quodlibet*. La traduzione corrente nel senso di «non importa quale, indifferentemente» è certamente corretta, ma, quanto alla forma, dice esattamente il contrario del latino: *quodlibet ens* non è «l'essere, non importa quale», ma «l'essere tale che comunque importa»; esso contiene, cioè, già sempre un rimando alla volontà (*libet*), l'essere qual-si-*voglia* è in relazione originale col desiderio.

Il Qualunque che è qui in questione non prende, infatti, la singolarità nella sua indifferenza rispetto a una proprietà comune (a un concetto, per esempio: l'esser rosso, francese, musulmano), ma solo nel suo essere *tale qual è*. Con ciò, la singolarità si scioglie dal falso dilemma che obbliga la conoscenza a scegliere fra l'ineffabilità dell'individuo e l'intellegibilità dell'universale. Poiché l'intellegibile, secondo la bella espressione di Gersonide, non è un universale né l'individuo in quanto compreso in una serie, ma «la singolarità in quanto singolarità qualunque». In questa, l'esser-*quale* è ripreso dal suo avere questa o quella proprietà, che ne identifica l'appartenenza a questo o quell'insieme, a questa o quella classe (i rossi, i francesi, i musulmani) – e ripreso non verso un'altra classe o verso la semplice assenza generica di ogni appartenenza, ma verso il suo esser-*tale*, verso l'appartenenza stessa. Cosí l'esser-*tale*, che resta costantemente nascosto nella condizione di appartenenza («vi è un *x tale che* appartiene a *y*») e che non è in alcun modo un predicato reale, viene esso stesso alla luce: la singolarità esposta come tale è qual-si-*voglia*, cioè amabile.

Poiché l'amore non si dirige mai verso questa o quella proprietà dell'amato (l'esser-biondo, piccolo, tenero, zoppo), ma nemmeno ne prescinde in nome dell'insipida genericità (l'amore universale): esso vuole la cosa *con tutti i suoi predicati*, il suo essere tale qual è. Esso desidera il *quale* solo in quanto è *tale* – questo è il suo particolare feticismo. Cosí la singolarità qualunque (l'Amabile) non è mai intelligenza di qualcosa, di questa o quella qualità o essenza, ma solo intelligenza di una intellegibilità. Il movimento, che Platone descrive come l'anamnesi erotica, è quello che trasporta l'oggetto non verso un'altra cosa o un altro luogo, ma verso il suo stesso aver-luogo – verso l'Idea.

II
Dal Limbo

Da dove provengono le singolarità qualunque, qual è il loro regno? Le questioni di Tommaso sul limbo contengono gli elementi per una risposta. Secondo il teologo, infatti, la pena degli infanti non battezzati, che sono morti senz'altra colpa che il peccato originale, non può essere una pena afflittiva, come quella dell'inferno, ma unicamente una pena privativa, che consiste nella perpetua carenza della visione di Dio. Solo che di questa carenza gli abitanti del limbo, a differenza dei dannati, non provano dolore: poiché hanno soltanto la conoscenza naturale e non quella soprannaturale, che è stata piantata in noi dal battesimo, essi non sanno di essere privati del sommo bene, o, se lo sanno (come ammette un'altra opinione) non possono rammaricarsene piú di quanto un uomo ragionevole si affliggerebbe di non poter volare. Se provassero dolore, infatti, poiché soffrirebbero di una colpa di cui non possono emendarsi, il loro dolore finirebbe con l'indurli in disperazione, come avviene ai dannati, e questo non sarebbe giusto. Di piú: i loro corpi sono, come quelli dei beati, impassibili, ma solo per quanto riguarda l'azione della giustizia divina; per il resto, essi godono pienamente delle loro perfezioni naturali.

La pena piú grande – la carenza della visione di Dio – si rovescia cosí in naturale letizia: incurabilmente perduti, essi dimorano senza dolore nell'abbandono divino. Non è Dio ad averli dimenticati, ma sono essi ad averlo già sempre scordato, e contro il loro oblio resta impotente la dimenticanza divina. Come lettere rimaste senza destinatario, questi risorti sono rimasti senza destino. Né beati come gli eletti, né disperati come i dannati, essi sono carichi di una letizia per sempre inesitabile.

Questa natura limbale è il segreto del mondo di Walser. Le sue creature si sono irreparabilmente smarrite, ma in una regione che sta al di là della perdizione e della salvezza: la loro nullità, di cui vanno cosí fiere, è innanzitutto neutralità rispetto alla salvezza, l'obiezione piú radicale che sia mai stata levata contro l'idea stessa della redenzione. Propriamente insalvabile è, infatti, la vita in cui non vi è nulla da salvare e contro di essa naufraga la poderosa macchina teologica dell'*oiconomia* cristiana. Di qui la curiosa miscela di bricconeria e di umiltà, di incoscienza da *toon* e di scrupolosa acribia che caratterizza i personaggi di Walser; di qui, anche, la loro ambiguità, per cui ogni rapporto con loro sembra sempre sul punto di finire a letto: né di ὕβρις pagana né di timidezza creaturale si tratta, ma semplicemente di una limbale impassibilità di fronte alla giustizia divina.

Come il condannato liberato nella colonia penale kafkiana, che è sopravvissuto alla distruzione della macchina che doveva giustiziarlo, essi si sono lasciati alle spalle il mondo della colpa e della giustizia: la luce che piove sulla loro fronte è quella – irreparabile – dell'alba che segue alla *novissima dies* del giudizio. Ma la vita che comincia sulla terra dopo l'ultimo giorno è semplicemente la vita umana.

III

Esempio

L'antinomia dell'individuale e dell'universale ha la sua origine nel linguaggio. La parola *albero* nomina infatti indifferentemente tutti gli alberi, in quanto suppone il proprio significato universale in luogo dei singoli alberi ineffabili (*terminus supponit significatum pro re*). Essa trasforma, cioè, le singolarità in membri di una classe, di cui il senso definisce la proprietà comune (la condizione di appartenenza ∈). La fortuna della teoria degli insiemi nella logica moderna nasce dal fatto che la definizione dell'insieme è semplicemente la definizione della significazione linguistica. La comprensione in un tutto M dei singoli oggetti distinti m, non è nient'altro che il nome. Di qui i paradossi inestricabili delle classi, che nessuna «bestiale teoria dei tipi» può pretendere di ridurre. I paradossi definiscono, infatti, il luogo dell'essere linguistico. Esso è una classe che appartiene e, insieme, non appartiene a se stessa, e la classe di tutte le classi che non appartengono a se stesse è la lingua. Poiché l'essere linguistico (l'esser-detto) è un insieme (l'albero) che è, nello stesso tempo, una singolarità (*l*'albero, *un* albero, *quest*'albero) e la mediazione del senso, espressa dal simbolo ∈ non può in alcun modo colmare lo iato in cui solo l'articolo riesce a muoversi con disinvoltura.

Un concetto che sfugge all'antinomia dell'universale e

del particolare ci è da sempre familiare: è l'esempio. In qualsiasi ambito esso faccia valere la sua forza, ciò che caratterizza l'esempio è che esso vale per tutti i casi dello stesso genere e, insieme, è incluso fra di essi. Esso è una singolarità fra le altre, che sta però in luogo di ciascuna di esse, vale per tutte. Da una parte, ogni esempio è trattato, infatti, come un caso particolare reale, dall'altra, resta inteso che esso non può valere nella sua particolarità. Né particolare né universale, l'esempio è un oggetto singolare che, per cosí dire, si dà a vedere come tale, *mostra* la sua singolarità. Di qui la pregnanza del termine che in greco esprime l'esempio: *para-deigma*, ciò che si mostra accanto (come il tedesco *Bei-spiel*, ciò che gioca accanto). Poiché il luogo proprio dell'esempio è sempre accanto a se stesso, nello spazio vuoto in cui si svolge la sua vita inqualificabile e indimenticabile. Questa vita è la vita puramente linguistica. Inqualificabile e indimenticabile è sola la vita nella parola. L'essere esemplare è l'essere puramente linguistico. Esemplare è ciò che non è definito da alcuna proprietà, tranne l'esser-detto. Non l'esser-rosso, ma l'esser-*detto*-rosso; non l'esser-Jakob, ma l'esser-*detto*-Jakob definisce l'esempio. Di qui la sua ambiguità, non appena si decida di prenderlo veramente sul serio. L'esser-detto – la proprietà che fonda tutte le possibili appartenenze (l'esser-detto italiano, cane, comunista) – è, infatti, anche ciò che può revocarle tutte radicalmente in questione. Esso è il Piú Comune, che recide ogni comunità reale. Di qui l'impotente onnivalenza dell'essere qualunque. Non si tratta né di apatia né di promiscuità o rassegnazione. Queste singolarità pure comunicano soltanto nello spazio vuoto dell'esempio, senza essere legate da alcuna proprietà comune, da alcuna identità. Esse si sono espropriate di tutte le identità, per appropriarsi dell'appartenenza stessa, del segno ϵ. *Tricksters* o perdigiorno, aiutanti o *toons*, essi sono gli esemplari della comunità che viene.

IV
Aver luogo

Il senso dell'etica si chiarisce solo quando si comprende che il bene non è ne può essere una cosa o una possibilità buona accanto o al di sopra di ogni cosa o possibilità cattiva, che l'autentico e il vero non sono predicati reali di un oggetto perfettamente analoghi (anche se opposti) al falso e all'inautentico.

L'etica comincia soltanto là dove il bene si rivela non consistere in altro che in un afferramento del male e l'autentico e il proprio non aver altro contenuto che l'inautentico e l'improprio. È questo il senso dell'antico adagio filosofico secondo cui *veritas patefacit se ipsam et falsum*. La verità non può manifestare se stessa se non manifestando il falso, il quale non viene però separato e respinto in un altro luogo; al contrario, secondo il significato etimologico del verbo *patefacere*, che vale 'aprire' ed è connesso a *spatium*, la verità si manifesta solo dando luogo alla non-verità, cioè come aver-luogo del falso, come esposizione della propria intima improprietà.

Finché tra gli uomini l'autentico e il bene avevano un luogo separato (erano *parte*), certo la vita sulla terra era infinitamente piú bella (noi abbiamo ancora conosciuto uomini che avevano parte all'autentico); tuttavia l'appropriazione dell'improprio era per ciò stesso impossibile, perché ogni affermazione dell'autentico aveva come conseguenza la rimozione dell'improprio in un altro luogo, contro il quale la morale tornava ogni volta ad alzare le sue barriere. La conquista del bene implicava cosí necessariamente un accrescimento della parte di male che veniva respinta; a ogni consolidamento delle mura del paradiso faceva riscontro un approfondimento dell'abisso infernale.

Per noi, cui non è toccata in sorte parte alcuna di proprietà (o cui, nel migliore dei casi, sono state legate solo infime parcelle di bene), si apre invece, forse per la prima volta, la possibilità di un'appropriazione dell'improprietà come tale, che non lasci piú alcun residuo di geenna fuori di sé.

È in questo modo che va compresa la dottrina libero-spirituale e gnostica dell'impeccabilità del perfetto. Essa non significava, secondo la grossolana falsificazione di polemisti e inquisitori, che il perfetto avesse la pretesa di poter compiere senza peccato i delitti piú ripugnanti (questa è in ogni tempo la perversa fantasia del moralista); significava, al contrario, che il perfetto si era appropriato di tutta la possibilità del male e dell'improprietà e non poteva, perciò, fare il male.

Questo e non altro era il contenuto dottrinale dell'eresia che il 12 novembre 1210 valse il rogo ai seguaci di Amalrico di Bene. Amalrico interpretava la frase dell'apostolo secondo cui «Dio è tutto in tutto» come un radicale svolgimento teologico della dottrina platonica della *chora*. Dio è in ciascuna cosa come il luogo in cui ciascuna cosa è, ovvero come la determinazione e la topicità di ogni ente. Il trascendente non è, quindi, un ente sommo al di sopra di tutte le cose: piuttosto, *l'aver-luogo di ogni cosa è il trascendente puro.*

Dio, o il bene, o il luogo, non ha luogo, ma è l'aver-luogo degli enti, la loro intima esteriorità. Divino è l'esser-verme del verme, l'esser-pietra della pietra. Che il mondo sia, che qualcosa possa apparire e aver volto, che vi siano esteriorità e illatenza come la determinazione e il limite di ciascuna cosa: questo è il bene. Cosí proprio il suo essere irreparabilmente nel mondo è ciò che trascende e espone ogni ente mondano. Il male è, invece, la riduzione dell'aver-luogo delle cose a un fatto come gli altri, l'oblio della trascendenza insita nello stesso aver-luogo delle cose. Rispetto a queste, il bene non è però in un altro luogo: è semplicemente il punto in cui esse afferrano il proprio aver luogo, toccano la propria intrascendente materia.

In questo senso – e soltanto in questo – il bene deve essere definito come un autoafferramento del male, e la salvezza come l'avvenire del luogo a se stesso.

V
Principium individuationis

Qualunque è il matema della singolarità, senza il quale non è possibile pensarne né l'essere né l'individuazione. È noto come la scolastica pone il problema del *principium individuationis*: di fronte a Tommaso, che ne cerca il luogo nella materia, Scoto concepisce invece l'individuazione come l'aggiungersi alla natura o forma comune (per esempio, l'umanità) non di un'altra forma o essenza o proprietà, ma di una *ultima realitas*, di una «ultimità» della forma stessa. La singolarità non aggiunge nulla alla forma comune, se non una eccità (nelle parole di Gilson: non si ha qui individuazione in virtú della forma, ma individuazione *della* forma). Ma per questo occorre, secondo Scoto, che la forma o natura comune sia indifferente a qualunque singolarità; che essa, per sé, non sia, cioè, né particolare né universale, né una né multipla, ma tale che «non ripugni a esser posta con una qualsiasi unità singolare».

Il limite di Scoto è che egli sembra qui pensare la natura comune come una realtà anteriore, cui compete la proprietà di essere indifferente a qualsivoglia singolarità, e alla quale la singolarità verrebbe ad aggiungere soltanto l'eccità. In questo modo egli lascia impensato proprio quel *quodlibet* che è inseparabile dalla singolarità e, senza accorgersene, fa dell'indifferenza la vera radice dell'individuazione. Ma la quodlibetalità non è l'indifferenza; essa non è nemmeno un predicato della singolarità che ne esprime la dipendenza dalla natura comune. Qual è, allora, il rapporto fra quodlibetalità e indifferenza? Come intendere l'indifferenza della forma umana comune rispetto ai singoli uomini? E che cos'è l'ecceità che costituisce l'essere del singolo?

Sappiamo che Guglielmo di Champeaux, il maestro di Abelardo, affermava che «l'idea è presente nei singoli individui *non essentialiter, sed indifferenter*». E Scoto precisava che non vi è differenza di essenza fra la natura comune e l'ecceità. Ciò significa che l'idea e la natura comune non costituiscono l'essenza della singolarità, che la singolarità è, in questo senso, assolutamente inessenziale, e che, pertanto, il criterio della sua differenza va cercato altrove che in una essenza o in un concetto. Il rapporto fra comune e singolare non è piú allora pensabile come il permanere di una identica essenza nei singoli individui e il problema stesso dell'individuazione rischia di presentarsi come uno pseudoproblema.

Nulla di piú istruttivo, a questo riguardo, del modo in cui Spinoza pensa il comune. Tutti i corpi, egli dice (*Eth.*, II, lemma II), convengono in ciò, che essi esprimono l'attributo divino dell'estensione. Tuttavia (per la prop. 37 *ibid.*) ciò che è comune non può in nessun caso costituire l'essenza di una cosa singolare. Decisiva è, qui, l'idea di una comunità *inessenziale*, di un convenire che non concerne in alcun modo un'essenza. *L'aver-luogo, il comunicare delle singolarità nell'attributo dell'estensione, non le unisce nell'essenza, ma le sparpaglia nell'esistenza.*

Non l'indifferenza della natura comune rispetto alle singolarità, ma l'indifferenza del comune e del proprio, del genere e della specie, dell'essenza e dell'accidente costituisce il qualunque. Qualunque è la cosa *con tutte le sue proprietà*, nessuna delle quali costituisce, però, differenza. L'in-differenza rispetto alle proprietà è ciò che individua e dissemina le singolarità, le rende amabili (quodlibetali). Come la giusta parola umana non è né l'appropriazione di un comune (la lingua) né la comunicazione di un proprio, cosí il volto umano non è né l'individuarsi di una *facies* generica né l'universalizzarsi di tratti singolari: è il volto qualunque, nel quale ciò che appartiene alla natura comune e ciò che è proprio sono assolutamente indifferenti.

In questo senso deve esser letta la dottrina di quei filosofi medievali secondo cui il passaggio dalla potenza all'atto, dalla forma comune alla singolarità non è un evento compiuto una volta per tutte, ma una serie infinita di oscillazioni modali. L'individuarsi di una esistenza singolare non è un fatto puntuale, ma una *linea generationis substantiae* che varia in ogni senso secondo una gradazione continua di crescita e di remissione, di appropriazione e di improprietà. L'immagine della linea non è casuale. Come, in una linea di scrittura, il *ductus* della mano passa continuamente dalla forma comune delle lettere ai tratti particolari che ne identificano la presenza singolare, senza che in nessun punto, malgrado l'acribia del grafologo, si possa tracciare un confine reale fra le due sfere, cosí, in un volto, la natura umana transita in modo continuo nell'esistenza e proprio questa incessante emergenza costituisce la sua espressività. Ma, altrettanto verisimilmente, si potrebbe dire il contrario, e, cioè, che dai cento idiotismi che caratterizzano la mia maniera di scrivere la lettera *p* o di pronunciarne il fonema si genera la sua forma comune. *Comune e proprio, genere e individuo sono solo i due versanti che precipitano ai lati del crinale del qualunque.*

Come nella calligrafia del principe Myškin, nell'*Idiota* di Dostoevskij, che può imitare senza sforzo qualsiasi scrittura e firmare in nome altrui («l'umile igumeno Pafnuzio ha firmato qui») il particolare e il generico diventano qui indifferenti, e proprio questa è l'«idiozia», cioè la particolarità del qualunque. Il passaggio dalla potenza all'atto, dalla lingua alla parola, dal comune al proprio avviene ogni volta nei due sensi secondo una linea di scintillazione alterna in cui natura comune e singolarità, potenza e atto si scambiano le parti e si compenetrano a vicenda. L'essere che si genera su questa linea è l'essere qualunque e la maniera in cui egli passa dal comune al proprio e dal proprio al comune si chiama uso – ovvero *ethos*.

VI
Agio

Secondo il Talmud, ciascun uomo ha due posti che lo attendono, uno nell'Eden e l'altro nel Gehinnom. Il giusto, dopo che è stato trovato innocente, riceve nell'Eden il suo posto, piú quello del suo vicino che si è dannato. Il malvagio, dopo che è stato giudicato colpevole, riceve all'inferno la sua parte, piú quella del vicino che si è salvato. Per questo nella Bibbia è scritto dei giusti: «nel loro paese riceveranno il doppio» e dei malvagi: «distruggili con una doppia distruzione».

Nella topologia di questa Aggada, l'essenziale non è tanto la distinzione cartografica di Eden e Gehinnom, quanto il posto accanto che ogni uomo immancabilmente riceve. Poiché nel punto in cui ciascuno raggiunge il suo stato finale e compie il proprio destino, allora per ciò stesso si trova nel posto del vicino. Il piú proprio di ogni creatura diventa cosí la sua sostituibilità, il suo essere comunque nel luogo dell'altro.

Verso la fine della sua vita, il grande arabista Massignon, che, da giovane, si era avventurosamente convertito al cattolicesimo in terra islamica, aveva fondato una comunità che, dal termine arabo che indica la sostituzione, aveva battezzato Badaliya. Il voto, a cui i suoi membri s'impegnavano, era quello di vivere *sostituendosi* a qualcuno, di essere, cioè, cristiani *in luogo di un altro*.

Questa sostituzione può essere intesa in due modi. Il primo vede nella caduta o nel peccato dell'altro soltanto l'occasione della propria salvezza: una perdita è compensata da un'elezione, la rovina da un'ascesi, secondo una poco edificante economia del risarcimento. (In questo senso, la Badaliya non sarebbe che un tardivo riscatto pagato per l'amico omosessuale, suicida nel 1921 nelle carceri di Valencia, da cui Massignon aveva dovuto allontanarsi al momento della conversione).

Ma la Badaliya ammette un'altra interpretazione. Secondo l'intenzione di Massignon, infatti, sostituirsi a qualcuno non significa compensare ciò che gli manca né correggere i suoi errori, ma *espatriarsi in lui tale qual è* per offrire ospitalità a Cristo nella sua stessa anima, nel suo stesso aver-luogo. Questa sostituzione non conosce piú luogo proprio, ma, per essa, l'aver-luogo di ogni essere singolare è già sempre comune, spazio vuoto offerto all'unica, irrevocabile ospitalità.

La distruzione del muro che divide l'Eden dal Gehinnom è, dunque, l'intenzione segreta che anima la Badaliya. Poiché in questa comunità non vi è altro luogo che vicario, e Eden e Gehinnom sono solo i nomi di questa *vece* comune. All'ipocrita finzione dell'insostituibilità del singolo, che nella nostra cultura serve solo a garantire la sua universale rappresentabilità, la Badaliya oppone una sostituibilità incondizionata, senza rappresentanza né rappresentazione possibile, una comunità assolutamente irrappresentabile.

In questo modo, il multiplo luogo comune, che nel Talmud si presenta come il posto del vicino che ciascun uomo immancabilmente riceve, non è che l'avvenire a se stessa di ogni singolarità, il suo essere qualunque – cioè tale quale.

Agio è il nome proprio di questo spazio irrappresentabile.

Il termine *agio* indica infatti, secondo il suo etimo, lo spazio accanto (*ad-jacens, adjacentia*), il luogo vuoto in cui è possibile per ciascuno muoversi liberamente, in una costellazione semantica in cui la prossimità spaziale confina col tempo opportuno (ad-agio, aver agio) e la comodità con la giusta relazione. I poeti provenzali (nelle cui canzoni il termine compare per la prima volta nelle lingue romanze, nella forma *aizi, aizimen*) fanno dell'agio un *terminus technicus* della loro poetica, che designa il luogo stesso dell'amore. O, meglio, non tanto il luogo dell'amore, quanto l'amore come esperienza dell'aver-luogo di una singolarità qualunque. In questo senso, agio nomina perfettamente quel «libero uso del proprio» che, secondo un'espressione di Hölderlin, è «il compito piú difficile». «*Mout mi semblatz de bel aizin*»: questo è il saluto che, nella canzone di Jaufré Rudel, gli amanti si scambiano incontrandosi.

VII

Maneries

La logica medievale conosceva un termine, il cui etimo esatto e il cui significato proprio sono finora sfuggiti alla paziente ricerca degli storici. Una fonte attribuisce, infatti, a Roscellino e ai suoi seguaci l'affermazione che i generi e gli universali sono *maneries*. Giovanni di Salisbury, che, nel suo *Metalogicus*, cita il termine dicendo di non intenderlo pienamente (*incertum habeo*), mostra di comprenderne l'etimo a partire da *manere*, permanere («si dice maniera il numero delle cose e lo stato, in cui ciascuna cosa rimane tale qual è»). Che cosa potevano avere in mente gli autori in questione parlando dell'essere piú universale come di una «maniera»? O, piuttosto, perché introducevano accanto al genere e alla specie questa terza figura?

Una definizione di Uguccione suggerisce che quel che essi chiamavano «maniera» non era né una genericità né una particolarità, ma qualcosa come una singolarità esemplare o un multiplo singolare: «la specie si chiama maniera, – egli scrive, – nel caso in cui si dice: l'erba di questa specie, cioè maniera, cresce nel mio orto». I logici parlavano, in casi del genere, di una «indicazione intellettuale» (*demonstratio ad intellectum*), in quanto «viene mostrata una cosa e se ne significa un'altra». La maniera non è, cioè, né genere né individuo: è un esemplare, cioè una singolarità qualunque. È probabile, allora, che il termine *maneries* non derivi da *manere* (per esprimere la dimora dell'essere in se stesso, la μòνη plotiniana, i medievali dicevano *manentia* o *mansio*), né da *manus* (come vogliono i filologi moderni), ma da *manare*, e indichi, cioè, l'essere nella sua sorgività. Questo non è, secondo la scissione che domina l'ontologia occidentale, né un'essenza, né un'esistenza, ma una *maniera sorgiva*; non un essere che è *in* questo o quel modo, ma un essere che è *il* suo modo di essere e, pertanto, pur restando singolare e non indifferente, è multiplo e vale per tutti.

Solo l'idea di questa modalità sorgiva, di questo manierismo originale dell'essere, permette di trovare un varco comune fra l'ontologia e l'etica. L'essere che non resta sotto se stesso, che non si *presuppone* a sé come un'essenza nascosta, che il caso o il destino sospingerebbero poi nel supplizio delle qualificazioni, ma si *espone* in esse, è senza residui il suo *cosí*, un tale essere non è accidentale né necessario, ma è, per cosí dire, *continuamente generato dalla propria maniera*.

Un essere di questo genere doveva avere in mente Plotino quando, cercando di pensare la libertà e la volontà dell'uno, spiega che di esso non si può dire che «gli è accaduto di essere cosí», ma solo che esso «è qual è, senza essere padrone del proprio essere»; e che «non resta sotto di sé, ma usa di sé qual è» e non è cosí per necessità, in quanto non poteva altrimenti, ma perché «*cosí* è il meglio».

Forse il solo modo di comprendere questo libero *uso di sé*, che non dispone, però, dell'esistenza come di una proprietà, è quello di pensarlo come un abito, un *ethos*. Essere generati dalla propria maniera di essere è, infatti, la definizione stessa dell'abitudine (per questo i greci parlavano di una seconda natura): *etica è la maniera che non ci accade né ci fonda, ma ci genera*. E questo essere generati dalla propria maniera è la sola felicità veramente possibile per gli uomini.

Ma una maniera sorgiva è anche il luogo della singolarità qualunque, il suo *principium individuationis*. Per l'essere, che è la propria maniera, questa non è, infatti, una proprietà, che lo determini e identifichi come un'essenza, quanto, piuttosto, una improprietà; ma ciò che lo rende esemplare è che questa improprietà è assunta e appropriata come il suo unico essere. L'esempio è soltanto l'essere di cui è esempio: ma questo essere non gli appartiene, è perfettamente comune. L'improprietà, che esponiamo come il nostro essere proprio, la maniera, che *usiamo*, ci genera, è la nostra seconda, piú felice natura.

VIII
Demonico

È noto con quanto accanimento una ricorrente tendenza ereticale avanza l'esigenza della salvazione finale di Satana. Sul mondo di Walser il sipario si alza quando anche l'ultimo demone del Gehinnom è stato riportato in cielo, quando il processo della storia della salvezza si è concluso senza residui.

È stupefacente che i due scrittori che, nel nostro secolo, hanno osservato con piú lucidità l'orrore incomparabile che li circondava – Kafka e Walser – ci presentino un mondo da cui il male nella sua suprema espressione tradizionale – il demonico – è scomparso. Né Klamm né il Conte né i cancellieri e i giudici kafkiani, e tanto meno le creature di Walser, malgrado la loro ambiguità, potrebbero mai figurare in un catalogo demonologico. Se qualcosa come un elemento demonico sopravvive nel mondo di questi due autori, ciò è piuttosto nella forma che poteva avere in mente Spinoza, quando scriveva che il demonio è solo la piú debole e la piú remota da Dio delle creature e, come tale – in quanto, cioè, è essenzialmente impotenza – non soltanto non può fare alcun male, ma è, anzi, quella che ha piú bisogno del nostro aiuto e delle nostre preghiere. Esso è, in ogni essere che è, la possibilità di non essere che silenziosamente implora il nostro soccorso (o, se si vuole, il demonio non è che l'impotenza divina o la potenza di non essere in Dio). Il male è unicamente la nostra inadeguata reazione di fronte a questo elemento demonico, il nostro ritrarci impauriti davanti a lui per esercitare – fondandoci in questa fuga – un qualche potere di essere. Solo in questo senso secondario l'impotenza o potenza di non essere è la radice del male. Fuggendo davanti alla nostra stessa impotenza, ovvero cercando di servirci di essa come di un'arma, costruiamo il maligno potere col quale opprimiamo coloro che ci mostrano la loro debolezza; e mancando alla nostra intima possibilità di non essere, decadiamo da ciò che soltanto rende possibile l'amore. La creazione – o l'esistenza – non è, infatti, la lotta vittoriosa di una potenza di essere contro una potenza di non essere; è, piuttosto, l'impotenza di Dio di fronte alla sua stessa impotenza, il suo, potendo *non* non-essere, lasciar essere una contingenza. Ovvero: la nascita in Dio dell'amore.

Per questo non è tanto l'innocenza naturale delle creature che Kafka e Walser fanno valere contro l'onnipotenza divina, quanto quella della tentazione. Il loro demonico non è un tentatore, ma un essere infinitamente suscettibile di essere tentato. Eichmann, cioè un uomo assolutamente banale, che è stato tentato al male proprio dalle potenze del diritto e della legge, è la terribile conferma con cui il nostro tempo si è vendicato della loro diagnosi.

IX
Bartleby

Kant definisce lo schema della possibilità come «la determinazione della rappresentazione di una cosa in un tempo qualunque». Alla potenza e alla possibilità, in quanto distinte dalla realtà, sembra sempre inerire la forma del *qualunque*, un irriducibile carattere quodlibetale. Ma di che potenza si tratta qui? E che significa, in questo contesto, «qualunque»?

Dei due modi in cui, secondo Aristotele, si articola ogni potenza, decisivo è qui quello che il filosofo chiama «potenza di non essere» (*dynamis me einai*) o anche impotenza (*adynamia*). Poiché, se è vero che l'essere qualunque ha sempre un carattere potenziale, altrettanto certo è, però, che esso non è potente solo di questo o quell'atto specifico, né è, per questo, semplicemente incapace, privo di potenza, e nemmeno capace indifferentemente di ogni cosa, totipotente: propriamente qualunque è l'essere che può non essere, può la propria impotenza.

Tutto sta, qui, nel modo in cui avviene il passaggio dalla potenza all'atto. La simmetria fra poter essere e poter non essere è, infatti, soltanto apparente. Nella potenza di essere, la potenza ha per oggetto un certo atto, nel senso che, per essa, *energhein*, essere-in-atto, può solo significare passare a quella determinata attività (per questo Schelling definisce *cieca* questa potenza, che non può non passare all'atto); per la potenza di non essere, invece, l'atto non può mai consistere in un semplice transito *de potentia ad actum*: essa è, cioè, una potenza che ha per oggetto la stessa potenza, una *potentia potentiae*.

Solo una potenza che può tanto la potenza che l'impotenza è, allora, la potenza suprema. Se ogni potenza è tanto potenza di essere che potenza di non essere, il passaggio all'atto può solo avvenire trasportando (Aristotele dice «salvando») nell'atto la propria potenza di non essere. Ciò significa che, se a ogni pianista appartengono necessariamente la potenza di suonare e quella di non suonare, Glenn Gould è, però, solo colui che può *non* non-suonare, e, rivolgendo la sua potenza non solo all'atto, ma alla sua stessa impotenza, suona, per cosí dire, con la sua potenza di non suonare. Di fronte all'abilità, che semplicemente nega e abbandona la propria potenza di non suonare, la maestria conserva e esercita nell'atto non la sua potenza di suonare (è questa la posizione dell'ironia, che afferma la superiorità della potenza positiva sull'atto), ma quella di non suonare.

Nel *De anima*, Aristotele ha enunciato senza mezzi termini questa teoria proprio per il tema supremo della metafisica. Se il pensiero fosse, infatti, soltanto potenza di pensare questo o quell'intelligibile, allora – egli argomenta – esso trapasserebbe già sempre nell'atto e resterebbe necessariamente inferiore al proprio oggetto; ma il pensiero è, nella sua essenza, potenza pura, cioè anche potenza di non pensare e, come tale, come intelletto possibile o materiale, esso è paragonato dal filosofo a una tavoletta per scrivere su cui nulla è scritto (è la celebre immagine che i traduttori latini rendono con l'espressione *tabula rasa*, anche se, come notavano gli antichi commentatori, si dovrebbe parlare piuttosto di *rasum tabulae*, cioè dello strato di cera che riveste la tavoletta e che lo stilo scalfisce).

È grazie a questa potenza di non pensare che il pensiero può rivolgersi a se stesso (alla sua pura potenza) ed essere, nel suo estremo fastigio, pensiero del pensiero. Ciò che qui esso pensa non è, però, un oggetto, un essere-in-atto, ma quello strato di cera, quel *rasum tabulae*, che non è altro che la propria passività, la propria pura potenza (di non pensare): nella potenza che pensa se stessa, azione e passione si identificano e la tavoletta per scrivere si scrive da sé o, piuttosto, scrive la sua propria passività.

L'atto perfetto di scrittura non proviene da una potenza di scrivere, ma da una impotenza che si rivolge a se stessa e, in questo modo, avviene a sé come un atto puro (che Aristotele chiama intelletto agente). Per questo, nella tradizione araba, l'intelletto agente ha la forma di un angelo, il cui nome è Qalam, Penna, e il cui luogo è una potenza imperscrutabile. Bartleby, cioè uno scrivano che non cessa semplicemente di scrivere, ma «preferisce di no», è la figura estrema di quest'angelo, che non scrive nient'altro che la sua potenza di non scrivere.

X
Irreparabile

La *quaestio* 91 del supplemento della Somma teologica porta il titolo *De qualitate mundi post iudicium*. Essa interroga la condizione della natura dopo il giudizio universale: vi sarà una *renovatio* dell'universo? Cesserà il movimento dei corpi celesti? Aumenterà lo splendore degli elementi? Che sarà degli animali e delle piante? La difficoltà logica cui queste domande si urtano è che, se il mondo sensibile era stato ordinato alla dignità e all'abitazione dell'uomo imperfetto, che senso potrà ancora competergli quando questi avrà raggiunto la sua destinazione soprannaturale? Come potrà la natura sopravvivere all'adempimento della sua causa finale? A queste domande la passeggiata walseriana nella «buona e fida terra» porta una sola risposta: i «campi stupendi», l'«erba ricca di linfa», l'«acqua dal gentile scroscio», il «circolo ricreativo adorno di allegre bandiere», le ragazze, il negozio del parrucchiere, la camera della signora Wilke, tutto sarà cosí com'è, irreparabilmente, ma proprio questa sarà la sua novità. L'Irreparabile è il monogramma che la scrittura di Walser segna sulle cose. Irreparabile significa che esse sono consegnate senza rimedio al loro esser-cosí, che esse sono, anzi, proprio e soltanto il loro *cosí* (niente è piú estraneo a Walser della pretesa di essere altro da ciò che si è); ma significa, anche, che, per esse, non vi è letteralmente alcun riparo possibile, che, nel loro esser-cosí, esse sono ora assolutamente esposte, assolutamente abbandonate.

Ciò implica che dal mondo *post iudicium* siano sparite insieme la necessità e la contingenza, queste due croci del pensiero occidentale. Esso è ora, nei secoli dei secoli, necessariamente contingente o contingentemente necessario. Tra il *non poter non essere*, che sancisce il decreto della necessità, e il *poter non essere*, che definisce la vacillante contingenza, il mondo finito insinua una contingenza alla seconda potenza, che non fonda alcuna libertà: esso *può non non-essere*, può l'irreparabile.

Per questo l'antico detto secondo cui la natura, se potesse parlare, si lamenterebbe, perde qui la sua verità. Gli animali, le piante, le cose, tutti gli elementi e le creature del mondo dopo il giudizio, esaurito il loro compito teologico, godono ora di una caducità per cosí dire incorruttibile, su di essi sta sospeso qualcosa come un nimbo profano. Per questo nulla potrebbe definire lo statuto della singolarità che viene meglio dei versi che chiudono una delle tarde poesie di Hölderlin-Scardanelli:

⟨Essa⟩ si mostra con un giorno d'oro
e la compiutezza è senza lamento.

XI
Etica

Il fatto da cui deve partire ogni discorso sull'etica è che l'uomo non è ne ha da essere o da realizzare alcuna essenza, alcuna vocazione storica o spirituale, alcun destino biologico. Solo per questo qualcosa come un'etica può esistere: poiché è chiaro che se l'uomo fosse o avesse da essere questa o quella sostanza, questo o quel destino, non vi sarebbe alcuna esperienza etica possibile – vi sarebbero solo compiti da realizzare.

Ciò non significa, tuttavia, che l'uomo non sia né abbia da essere alcunché, che egli sia semplicemente consegnato al nulla e possa, pertanto, a suo arbitrio decidere di essere o di non essere, di assegnarsi o non assegnarsi questo o quel destino (nichilismo e decisionismo s'incontrano in questo punto). Vi è, infatti, qualcosa che l'uomo è e ha da essere, ma questo qualcosa non è un'essenza, non è, anzi, propriamente una cosa: *è il semplice fatto della propria esistenza come possibilità o potenza*. Ma appunto per questo tutto si complica, appunto per questo l'etica diventa effettiva.

Poiché l'essere piú proprio dell'uomo è di essere la sua stessa possibilità o potenza, allora e soltanto per questo (in quanto, cioè, il suo essere piú proprio, essendo potenza, in un certo senso gli manca, può non essere, è dunque privo di fondo ed egli non ne è già sempre in possesso) egli è e si sente in debito. L'uomo, essendo potenza di essere e di non essere, è, cioè, già sempre in debito, ha già sempre una cattiva coscienza prima di aver commesso alcun atto colpevole.

Questo è l'unico contenuto dell'antica dottrina teologica sul peccato originale. La morale, invece, interpreta questa dottrina in riferimento a un atto colpevole che l'uomo avrebbe commesso e, in questo modo, vincola la sua potenza rivolgendola verso il passato. L'attestazione del male è piú antica e piú originale di ogni atto colpevole e riposa unicamente sul fatto che, essendo e avendo da essere solo la sua possibilità o potenza, l'uomo manca in un certo senso a se stesso e deve appropriarsi di questa mancanza, deve *esistere* come *potenza*. Come Perceval nel romanzo di Chrétien de Troyes, egli è colpevole per ciò che gli manca, per una colpa che non ha commesso.

Per questo nell'etica non c'è posto per il pentimento, per questo l'unica esperienza etica (che, come tale, non può essere compito né decisione soggettiva) è di essere la (propria) potenza, di esistere la (propria) possibilità; di esporre, cioè, in ogni forma la propria amorfia e in ogni atto la propria inattualità.

L'unico male consiste invece nel decidere di restare in debito di esistere, di appropriarsi della potenza di non essere come di una sostanza o di un fondamento al di fuori dell'esistenza; oppure (ed è il destino della morale) di guardare alla potenza stessa, che è il modo piú proprio di esistenza dell'uomo, come a una colpa che occorre in ogni caso reprimere.

XII
Collants Dim

All'inizio degli anni settanta si poteva vedere nelle sale cinematografiche parigine uno *spot* pubblicitario che reclamizzava una nota marca di *collants*. Esso presentava di fronte un gruppo di ragazze che danzavano insieme. Chi ne ha osservato, anche distrattamente, qualche immagine, difficilmente avrà dimenticato la speciale impressione di sincronia e di dissonanza, di confusione e di singolarità, di comunicazione e di estraneità che emanava dai corpi delle danzatrici sorridenti. Quest'impressione riposava su un trucco: ogni ragazza era filmata da sola e, successivamente, i singoli pezzi venivano composti insieme sullo sfondo dell'unica colonna sonora. Ma da quel facile trucco, dalla calcolata asimmetria nei movimenti delle lunghe gambe guainate nella stessa merce a buon mercato, da un minimo scarto nei gesti, alitava verso gli spettatori una promessa di felicità che concerneva inequivocabilmente il corpo umano.

Negli anni venti, quando il processo capitalistico di mercificazione cominciò a investire la figura umana, osservatori non certo benevoli del fenomeno non poterono fare a meno di cogliere in esso un aspetto positivo, come se si trovassero di fronte al testo corrotto di una profezia che andava oltre i limiti del modo di produzione capitalistico e che si trattava, appunto, di decifrare. Cosí nacquero le osservazioni di Kracauer sulle *girls* e quelle di Benjamin sulla decadenza dell'aura.

La mercificazione del corpo umano, mentre lo piegava alle ferree leggi della massificazione e del valore di scambio, sembrava insieme riscattarlo dallo stigma di ineffabilità che lo aveva segnato per millenni. Sciogliendosi dalla doppia catena del destino biologico e della biografia individuale, esso prendeva congedo tanto dal grido inarticolato del corpo tragico che dal mutismo del corpo comico e appariva per la prima volta perfettamente comunicabile, integralmente illuminato. Nei balletti delle *girls*, nelle immagini della pubblicità, nelle sfilate delle *mannequins* si compiva cosí il secolare processo di emancipazione della figura umana dai suoi fondamenti teologici che si era già imposto su scala industriale quando, all'inizio del XIX secolo, l'invenzione della litografia e della fotografia aveva incoraggiato la diffusione a buon mercato delle immagini pornografiche: né generico né individuale, né immagine della divinità né forma animale, il corpo diventava ora veramente *qualunque*.

Qui la merce mostrava la sua segreta solidarietà con le antinomie teologiche (che Marx aveva intravisto). Poiché lo «a immagine e somiglianza» della Genesi, che radicava in Dio la figura umana, la vincolava però, in questo modo, a un archetipo invisibile e fondava, con ciò, il concetto paradossale di una somiglianza assolutamente immateriale. La mercificazione, disancorando il corpo dal suo modello teologico, ne salva tuttavia la somiglianza: *qualunque è una somiglianza senza archetipo, cioè un'Idea*. Per questo, se la bellezza perfettamente fungibile del corpo tecnicizzato non ha piú nulla a che fare con l'apparizione di un *unicum* che, davanti a Elena, confonde i vecchi principi troiani alle porte Scee, tuttavia in entrambe vibra qualcosa come una somiglianza («terribilmente a vederla somiglia alle dee immortali»). Di qui, anche, l'esodo della figura umana dalle arti del nostro tempo e il declino del ritratto: afferrare una unicità è compito del ritratto, ma per cogliere una qualunquità occorre l'obiettivo fotografico.

In un certo senso, il processo di emancipazione era antico quanto l'invenzione delle arti. Poiché dall'istante in cui una mano delineò o scolpí per la prima volta una figura umana, già in essa era presente a guidarla il sogno di Pigmalione: formare non semplicemente un'immagine al corpo amato, ma un altro corpo all'immagine, spezzare le barriere organiche che impediscono l'incondizionata pretesa umana alla felicità.

Che ne è oggi, nell'età del compiuto dominio della forma merce su tutti gli aspetti della vita sociale, della sommessa, insensata promessa di felicità che ci veniva incontro, nella penombra delle sale cinematografiche, dalle ragazze inguainate nei *collants Dim*? Mai come oggi il corpo umano – soprattutto quello femminile – è stato cosí massicciamente manipolato e, per cosí dire, immaginato da cima a fondo dalle tecniche della pubblicità e della produzione mercantile: l'opacità delle differenze sessuali è stata smentita dal corpo transessuale, l'estraneità incomunicabile della *physis* singolare abolita dalla sua mediatizzazione spettacolare, la mortalità del corpo organico messa in dubbio dalla promiscuità col corpo senz'organi della merce, l'intimità della vita erotica confutata dalla pornografia. Tuttavia il processo di tecnicizzazione, invece di investire materialmente il corpo, era rivolto alla costruzione di una sfera separata che non aveva con esso praticamente alcun punto di contatto: non il corpo è stato tecnicizzato, ma la sua immagine. Cosí il corpo glorioso della pubblicità è diventato la maschera dietro la quale il fragile, minuto corpo umano continua la sua precaria esistenza, e il geometrico splendore delle *girls* copre le lunghe file degli anonimi ignudi condotti alla morte nei *Lager* o le migliaia di cadaveri martoriati nella quotidiana carneficina sulle autostrade.

Appropriarsi delle trasformazioni storiche della natura umana che il capitalismo vuole confinare nello spettacolo, compenetrare immagine e corpo in uno spazio in cui essi non possano essere piú separati e ottenere cosí in esso forgiato quel corpo qualunque, la cui *physis* è la somiglianza, questo è il bene che l'umanità deve saper strappare alla merce al tramonto. La pubblicità e la pornografia, che l'accompagnano alla tomba come prefiche, sono le inconsapevoli levatrici di questo nuovo corpo dell'umanità.

XIII
Aureole

È nota la parabola sul regno messianico che Benjamin (che l'aveva udita da Scholem) raccontò una sera a Bloch e che questi trascrisse in *Spuren*: «Un rabbino, un vero cabalista, disse una volta: per istaurare il regno della pace, non è necessario distruggere tutto e dare inizio a un mondo completamente nuovo; basta spostare solo un pochino questa tazza o quest'arboscello o quella pietra, e cosí tutte le cose. Ma questo pochino è cosí difficile da realizzare e la sua misura cosí difficile da trovare che, per quanto riguarda il mondo, gli uomini non ce la fanno ed è necessario che arrivi il messia». Nella redazione di Benjamin, essa suona: «Fra gli chassidim si racconta una storia sul mondo a venire, che dice: là tutto sarà proprio come è qui. Come ora è la nostra stanza, cosí sarà nel mondo a venire; dove ora dorme il nostro bambino, là dormirà anche nell'altro mondo. E quello che indossiamo in questo mondo, lo porteremo addosso anche là. Tutto sarà com'è ora, solo un po' diverso».

La tesi secondo cui l'Assoluto è identico a questo mondo non è una novità. Nella sua forma estrema, essa è stata enunciata dai logici indiani nell'assioma: «fra il nirvana e il mondo non c'è la piú piccola differenza». Nuovo è, invece, il piccolo spostamento che la storia introduce nel mondo messianico. Tuttavia proprio questo piccolo spostamento, questo «tutto sarà com'è ora, solo un po' diverso», è difficile da spiegare. Poiché certo esso non può riguardare semplicemente delle circostanze reali, nel senso che il naso del beato diventerà appena un po' piú corto, o che il bicchiere si sposterà sulla tavola esattamente di mezzo centimetro, o che il cane là fuori cesserà di abbaiare. Il piccolo spostamento non riguarda lo stato delle cose, ma il suo senso e i suoi limiti. Esso non ha luogo nelle cose, ma alla loro periferia, nell'agio fra ogni cosa e se stessa. Ciò significa che, se la perfezione non implica un mutamento reale, essa non può nemmeno essere semplicemente uno stato di cose eterno, un «cosí è» immedicabile. Al contrario, la parabola introduce una possibilità là dove tutto è perfetto, un «altrimenti» dove tutto è finito per sempre, e proprio questo è la sua irriducibile aporia. Ma come è pensabile un «altrimenti» dopo che tutto si è definitivamente compiuto?

Istruttiva è, in questo senso, la dottrina che Tommaso svolge nel suo breve trattato sulle aureole. La beatitudine degli eletti, egli argomenta, comprende in sé tutti i beni che sono necessari alla perfetta operazione della natura umana, e nulla di essenziale può, perciò, esserle aggiunto. Vi è tuttavia qualcosa che può esserle dato in sovrappiú (*superaddi*), un «premio accidentale, che si aggiunge all'essenziale», che non è necessario alla beatitudine né la altera sostanzialmente, ma la rende semplicemente piú splendente (*clarior*).

L'aureola è questo supplemento che si aggiunge alla perfezione – qualcosa come un tremare di ciò che è perfetto, appena un iridarsi dei suoi limiti.

Il teologo non sembra qui rendersi conto dell'audacia con cui introduce nello *status perfectionis* un elemento accidentale, che basterebbe da solo a spiegare perché la *quaestio* sulle aureole sia rimasta praticamente senza riscontro nella patrologia latina. L'aureola non è un *quid*, una proprietà o un'essenza che si aggiunge alla beatitudine: essa è un supplemento assolutamente inessenziale. Ma, proprio per questo, Tommaso può qui anticipare inaspettatamente la teoria che qualche anno dopo Scoto gli avrebbe opposto sul problema dell'individuazione. Alla domanda se a un beato possa competere un'aureola piú splendente delle altre, egli risponde (contro la dottrina secondo cui ciò che è compiuto non può conoscere crescita né diminuzione) che la beatitudine non perviene alla perfezione singolarmente, ma secondo la specie, «cosí come il fuoco è, secondo la specie, il piú sottile dei corpi; nulla impedisce, pertanto, che una aureola sia piú splendente di un'altra, come un fuoco può essere piú sottile di un altro».

L'aureola è, cioè, l'individuarsi di una beatitudine, il diventar singolare di ciò che è perfetto. Come in Scoto, questo individuarsi non implica l'aggiunta di una nuova essenza o un cambiamento di natura, quanto piuttosto una sua ultimità singolare; diversamente che in Scoto, tuttavia, la singolarità non è qui un'estrema determinazione dell'essere, ma uno sfrangiarsi o un indeterminarsi dei suoi limiti: un paradossale *individuarsi per indeterminazione*.

Si può pensare, in questo senso, l'aureola come una zona in cui possibilità e realtà, potenza e atto diventano indistinguibili. L'essere che è giunto alla sua fine, che ha consumato tutte le sue possibilità, riceve cosí in dote una possibilità supplementare. Essa è quella *potentia permixta actui* (o quell'*actus permixtus potentiae*) che il genio di un filosofo del trecento chiama *actus confusionis*, atto confusivo, in quanto in esso la forma o natura specifica non si conserva, ma si confonde e si scioglie senza residui in una nuova nascita. Questo impercettibile tremito del finito, che ne indetermina i limiti e lo rende capace di confondersi, di farsi qualunque, è il piccolo spostamento che ogni cosa dovrà compiere nel mondo messianico. La sua beatitudine è quella di una potenza che viene solo dopo l'atto, di una materia che non resta sotto la forma, ma la circonda e l'aureola.

XIV
Pseudonimo

Ogni lamento è sempre lamento per il linguaggio, cosí come ogni lode è innanzitutto lode del nome. Essi sono gli estremi che definiscono l'ambito e la vigenza della lingua umana, il suo riferirsi alle cose. Dove la natura si sente tradita dal significato, comincia la lamentazione; dove il nome dice perfettamente la cosa, il linguaggio culmina nel canto di lode, nella santificazione del nome. La lingua di Walser sembra ignorarli entrambi. Il pathos ontoteologico (tanto nella forma dell'indicibile che in quella – equivalente – dell'assoluta dicibilità) è rimasto estraneo fino all'ultimo alla sua scrittura, sempre corsivamente in bilico fra la «casta imprecisione» e uno stereotipo manierismo. (Anche qui, la lingua protocollare di Scardanelli è la staffetta che annuncia con un secolo di anticipo le prosette di Berna o di Waldau).

Se, in occidente, il linguaggio è stato usato costantemente come una macchina per far essere il nome di Dio e per fondare, in questo, il proprio potere referenziale, la lingua di Walser è sopravvissuta al suo compito teologico. A una natura che ha esaurito il suo destino creaturale, sta di fronte un linguaggio che ha deposto ogni pretesa denominante. Lo statuto semantico della sua prosa coincide con quello della pseudonimia o del soprannome. È come se ogni parola fosse preceduta da un invisibile «cosiddetto», «pseudo», «sedicente» o seguito (come nelle tarde iscrizioni in cui la comparsa del soprannome segna il trapasso dal sistema trinominale latino a quello uninominale del medioevo) da un «qui et vocatur...», quasi che ogni termine levasse un'obiezione contro il proprio potere denominante. Simili alle piccole danzatrici cui Walser paragona le sue prose, le parole, «stanche da morire», declinano ogni pretesa di rigore. Se una forma grammaticale corrisponde a questo stato stremato della lingua, è il supino, cioè una parola che ha compiuto fino in fondo la sua «declinazione» nei casi e nei modi e sta ora «adagiata sul dorso», esposta e neutrale.

La diffidenza piccolo borghese nei confronti del linguaggio si trasforma qui in pudore del linguaggio nei confronti del suo referente. Questo non è piú la natura tradita dal significato, né la sua trasfigurazione nel nome, ma è ciò che si tiene – improferito – nello pseudonimo o nell'agio fra nome e soprannome. La lettera a Rychner parla di questo «fascino di non proferire qualcosa assolutamente». Figura – cioè proprio il termine che nelle lettere di San Paolo esprime ciò che trapassa di fronte alla natura che non muore – è il nome che essa dà alla vita che nasce in questo scarto.

XV
Senza classi

Se dovessimo ancora una volta pensare le sorti dell'umanità in termini di classe, allora oggi dovremmo dire che non ci sono piú classi sociali, ma solo una piccola borghesia planetaria, in cui le vecchie classi si sono dissolte: la piccola borghesia ha ereditato il mondo, essa è la forma in cui l'umanità è sopravvissuta al nichilismo.

Ma questo era esattamente ciò che anche fascismo e nazismo avevano compreso, e aver visto con chiarezza l'irrevocabile tramonto dei vecchi soggetti sociali costituisce anzi la loro insuperabile patente di modernità. (Da un punto di vista strettamente politico, fascismo e nazismo non sono stati superati e noi viviamo ancora nel loro segno). Essi rappresentavano, però, una piccola borghesia nazionale, ancora attaccata a una posticcia identità popolare, sulla quale agivano sogni di grandezza borghese. La piccola borghesia planetaria si è invece emancipata da questi sogni ed ha fatto propria l'attitudine del proletariato a declinare qualsiasi ravvisabile identità sociale. Tutto ciò che è, il piccolo borghese lo nullifica nel gesto stesso con cui sembra ostinatamente aderirvi: egli conosce solo l'improprio e l'inautentico e rifiuta persino l'idea di una parola propria. Le differenze di lingua, di dialetto, di modi di vita, di carattere, di costume e, innanzitutto, le stesse particolarità fisiche di ciascuno, che costituivano la verità e la menzogna dei popoli e delle generazioni che si sono succedute sulla terra, tutto ciò ha perduto per lui ogni significato e ogni capacità di espressione e di comunicazione. Nella piccola borghesia, le diversità che hanno segnato la tragicommedia della storia universale stanno esposte e raccolte in una fantasmagorica vacuità.

Ma l'insensatezza dell'esistenza individuale, che essa ha ereditato dai sottosuoli del nichilismo, è divenuta nel frattempo cosí insensata da perdere ogni pathos e trasformarsi, uscita all'aria aperta, in esibizione quotidiana: nulla assomiglia alla vita della nuova umanità quanto un film pubblicitario da cui sia stata cancellata ogni traccia del prodotto reclamizzato. La contraddizione del piccolo borghese è che egli cerca, però, ancora in questo film il prodotto di cui è stato defraudato, ostinandosi malgrado tutto a far propria una identità che gli è divenuta, in realtà, assolutamente impropria e insignificante. Vergogna e arroganza, conformismo e marginalità restano cosí gli estremi polari di ogni sua tonalità emotiva.

Il fatto è che l'insensatezza della sua esistenza si urta a un'ultima insensatezza, su cui naufraga ogni pubblicità: la morte. In questa, il piccolo borghese va incontro all'ultima espropriazione, all'ultima frustrazione dell'individualità: la nuda vita, il puro incomunicabile, dove la sua vergogna trova finalmente pace. In questo modo, egli copre con la morte il segreto che deve pur rassegnarsi a confessare: che anche la nuda vita gli è, in verità, impropria e puramente esteriore, che non c'è, per lui, sulla terra alcun riparo.

Ciò significa che la piccola borghesia planetaria è verisimilmente la forma nella quale l'umanità sta andando incontro alla propria distruzione. Ma ciò significa, anche, che essa rappresenta un'occasione inaudita nella storia dell'umanità, che questa non deve ad alcun costo lasciarsi sfuggire. Poiché se gli uomini, invece di cercare ancora una identità propria nella forma ormai impropria e insensata dell'individualità, riuscissero ad aderire a questa improprietà come tale, a fare del proprio esser-cosí non una identità e una proprietà individuale, ma una singolarità senza identità, una singolarità comune e assolutamente esposta – se gli uomini potessero, cioè, non esser-cosí, in questa o quella identità biografica particolare, ma essere soltanto *il* cosí, la loro esteriorità singolare e il loro volto, allora l'umanità accederebbe per la prima volta a una comunità senza presupposti e senza soggetti, a una comunicazione che non conoscerebbe piú l'incomunicabile.

Selezionare nella nuova umanità planetaria quei caratteri che ne permettano la sopravvivenza, rimuovere il diaframma sottile che separa la cattiva pubblicità mediatica dalla perfetta esteriorità che comunica soltanto se stessa – questo è il compito politico della nostra generazione.

XVI
Fuori

Qualunque è la figura della singolarità pura. La singolarità qualunque non ha identità, non è determinata rispetto a un concetto, ma neppure è semplicemente indeterminata; piuttosto essa è determinata solo attraverso la sua relazione a una *idea*, cioè alla totalità delle sue possibilità. Attraverso questa relazione, la singolarità confina, come dice Kant, con tutto il possibile e riceve cosí la sua *omnimoda determinatio* non dalla partecipazione a un concetto determinato o a una certa proprietà attuale (l'esser rosso, italiano, comunista), ma *unicamente attraverso questo confinare*. Essa appartiene a un tutto, ma senza che questa appartenenza possa essere rappresentata da una condizione reale: l'appartenenza, l'esser-*tale*, è qui solo relazione a una totalità vuota e indeterminata.

In termini kantiani, ciò significa che in questo confinare è in questione non un limite (*Schranke*), che non conosce esteriorità, ma una soglia (*Grenze*), cioè un punto di contatto con uno spazio esterno, che deve restare vuoto.

Ciò che il qualunque aggiunge alla singolarità è soltanto un vuoto, soltanto una soglia; qualunque è una singolarità, piú uno spazio vuoto, una singolarità *finita* e, tuttavia, indeterminabile secondo un concetto. Ma una singolarità piú uno spazio vuoto non può essere altro che una esteriorità pura, una pura esposizione. *Qualunque è, in questo senso, l'evento di un fuori*. Ciò che è pensato nell'arcitrascendentale *quodlibet* è, dunque, ciò che è piú difficile da pensare: l'esperienza, assolutamente non-cosale, di una pura esteriorità.

Importante è qui che la nozione del «fuori» sia espressa, in molte lingue europee, da una parola che significa «alle porte» (*fores* è, in latino, la porta della casa, θύραθεν, in greco, vale letteralmente «alla soglia»). Il *fuori* non è un altro spazio che giace al di là di uno spazio determinato, ma è il varco, l'esteriorità che gli dà accesso – in una parola: il suo volto, il suo *eidos*.

La soglia non è, in questo senso, un'altra cosa rispetto al limite; essa è, per cosí dire, l'esperienza del limite stesso, l'esser-*dentro* un *fuori*. Questa *ek-stasis* è il dono che la singolarità raccoglie dalle mani vuote dell'umanità.

XVII
Omonimi

Nel giugno del 1902 un logico inglese trentenne scrisse a Gottlob Frege una breve lettera nella quale lo informava di aver scoperto, in uno dei postulati dei *Principi dell'aritmetica*, un'antinomia che minacciava di mettere in questione i fondamenti stessi del «paradiso» che Cantor aveva creato per i matematici con la sua teoria degli insiemi.

Col consueto acume, ma non senza turbamento, Frege capí subito qual era la posta in gioco nella lettera del giovane Russell: nulla di meno che la possibilità di passare da un concetto alla sua estensione, cioè la possibilità stessa di ragionare in termini di classi. «Quando diciamo che certi oggetti, – spiegava piú tardi Russell, – possiedono tutti una determinata proprietà, noi supponiamo che questa proprietà sia un oggetto definito, che può essere distinto dagli oggetti cui appartiene; supponiamo inoltre che gli oggetti che hanno la proprietà in questione formano una classe, e che questa classe è, in qualche modo, una nuova entità distinta da ciascuno dei suoi elementi». Proprio queste tacite, ovvie presupposizioni erano revocate in dubbio da quel paradosso della «classe di tutte le classi che non appartengono a se stesse», che è oggi diventato un passatempo da salotto, ma che era evidentemente abbastanza serio da compromettere stabilmente la produzione intellettuale di Frege e da costringere per anni il suo scopritore a mettere in opera ogni mezzo suscettibile di limitarne le conseguenze. Malgrado l'ostinato monito di Hilbert, i logici erano stati definitivamente scacciati dal loro paradiso.

Come Frege aveva intuito e come oggi cominciamo forse a vedere con maggior chiarezza, alla base dei paradossi della teoria degli insiemi stava, infatti, quello stesso problema che Kant, nella lettera a Marcus Herz del 21 febbraio 1772, aveva formulato nella domanda: «come fanno le nostre rappresentazioni a riferirsi agli oggetti?» Che significa dire che il concetto 'rosso' denota gli oggetti rossi? Ed è vero che ogni concetto determina una classe, che costituisce la sua estensione? E com'è possibile parlare di un concetto indipendentemente dalla sua estensione? Poiché ciò che il paradosso di Russell metteva in luce era l'esistenza di proprietà o concetti (che egli chiamava non predicativi) che non determinano una classe (ovvero che non possono determinare una classe senza produrre antinomie). Russell identificava queste proprietà (e le pseudoclassi che ne derivano) con quelle nella cui definizione compaiono le «variabili apparenti» costituite dai termini 'tutti', 'ogni', 'qualunque'. Le classi cui queste espressioni danno vita sono delle 'totalità illegittime', che pretendono di far parte della totalità che definiscono (qualcosa come un concetto che esiga di esser parte della propria estensione). Contro di esse, i logici (incuranti del fatto che i loro moniti puntualmente contengono quelle variabili) moltiplicano i loro divieti e piantano i loro picchetti di confine: «qualsiasi cosa implichi tutti i membri di una collezione, non dev'essere uno di questi», «tutto ciò che concerne in qualsiasi modo tutti, o uno qualunque dei membri di una classe, non dev'essere membro della classe», «se una qualunque espressione contiene una variabile apparente, essa non dev'essere uno dei valori possibili di quella variabile».

Sfortunatamente per i logici, le espressioni non predicative sono molto piú numerose di quanto si potrebbe pensare. Anzi, poiché ogni termine si riferisce per definizione a tutti e a qualunque membro della sua estensione, e può, inoltre, riferirsi a se stesso, si può dire che tutte (o quasi) le parole possono presentarsi come classi che, secondo la formulazione del paradosso, appartengono e, insieme, non appartengono a se stesse.

Contro questa circostanza, non vale obiettare che in nessun caso noi prenderemmo il termine 'scarpa' per una scarpa. Qui un'insufficiente concezione dell'autoreferenza impedisce di cogliere la *pointe* del problema: in questione non è la parola 'scarpa' nella sua consistenza acustica o grafica (la *suppositio materialis* dei medievali), ma la parola 'scarpa' proprio nel suo significare la scarpa (o, *a parte objecti*, la scarpa nel suo essere significata dal termine 'scarpa'). Se distinguiamo perfettamente una scarpa dal termine 'scarpa', molto piú difficile è, invece, distinguere una scarpa dal suo esser-detta-(scarpa), dal suo *essere-nel-linguaggio*. L'esser-detto, l'essere-nel-linguaggio è la proprietà non predicativa per eccellenza, che compete a ciascun membro di una classe e, insieme, rende aporetica la sua appartenenza ad essa. Questo è anche il contenuto del paradosso che Frege ha enunciato una volta scrivendo «il concetto 'cavallo' non è un concetto» (e che Milner, in un libro recente, ha espresso nella forma: «il termine linguistico non ha nome proprio»): se cerchiamo, cioè, di afferrare un concetto come tale, esso si trasforma fatalmente in un oggetto, e il prezzo che paghiamo è di non poterlo piú distinguere dalla cosa concepita.

Questa aporia dell'intenzionalità, per cui essa non può essere intenzionata senza diventare un *intentum*, era familiare alla logica medievale come paradosso dell'«essere cognitivo». Nella formulazione di Meister Eckhart: «Se la forma (*species*) o immagine, attraverso cui una cosa è vista e conosciuta, fosse altro dalla cosa stessa, non potremmo mai conoscere attraverso di essa né in essa la cosa. Ma se la forma o immagine fosse del tutto indistinta dalla cosa, allora essa sarebbe inutile per la conoscenza... Se la forma che è nell'anima avesse natura di oggetto, allora non conosceremmo attraverso di essa la cosa di cui è forma, poiché, se fosse essa stessa un oggetto, ci condurrebbe alla conoscenza di sé e ci distoglierebbe dalla conoscenza della cosa». (Cioè, nei termini che qui ci interessano: se la parola, attraverso cui una cosa è espressa, fosse altra dalla cosa stessa o identica ad essa, allora la parola non potrebbe esprimere la cosa).

Non una gerarchia dei tipi (come quella proposta da Russell, che tanto irritava il giovane Wittgenstein), ma solo una teoria delle idee è in grado di districare il pensiero dalle aporie dell'essere linguistico (o, meglio, di trasformarle in euporie). È quanto esprime con insuperabile chiarezza la frase in cui Aristotele caratterizza il rapporto fra l'idea platonica e i molteplici fenomeni, che le edizioni moderne della *Metafisica* ci presentano amputata del suo senso proprio. Restituita alla lezione del manoscritto più autorevole, essa suona: «Secondo la partecipazione, la pluralità dei sinonimi è omonima rispetto alle idee» (*Met.*, 987b 10).

Sinonimi sono, per Aristotele, gli enti che hanno lo stesso nome e la stessa definizione: come dire, i fenomeni in quanto membri di una classe consistente, in quanto, cioè, attraverso la partecipazione a un concetto comune, appartengono a un insieme. Questi stessi fenomeni, che stanno fra loro in rapporto di sinonimia, diventano però omonimi se considerati rispetto all'idea (omonimi si dicono, secondo Aristotele, gli oggetti che hanno lo stesso nome, ma diversa definizione). Cosí, i singoli cavalli sono sinonimi rispetto al concetto cavallo, ma omonimi rispetto all'idea del cavallo: proprio come, nel paradosso russelliano, lo stesso oggetto appartiene e, insieme, non appartiene a una classe.

Ma che cos'è l'idea, che costituisce l'omonimia dei molteplici sinonimi, e che, insistendo in ogni classe, ne riprende i membri dalla loro appartenenza predicativa, per farne dei semplici omonimi, per esibire la loro pura dimora nel linguaggio? Ciò, rispetto a cui il sinonimo è omonimo, non è né un oggetto né un concetto, ma è il suo stesso aver-nome, la sua stessa appartenenza, o il suo essere-nel-linguaggio. Questo non può essere né nominato a sua volta, né mostrato, ma solo ripreso attraverso un movimento anaforico. Di qui il principio – decisivo, anche se di rado tematizzato come tale – per cui l'idea non ha nome proprio, ma si esprime unicamente attraverso l'anafora *autò*: l'idea di una cosa è la cosa *stessa*. Quest'anonima omonimia è l'idea.

Ma, per ciò stesso, essa costituisce l'omonimo come qualunque. *Qualunque è la singolarità in quanto si tiene in relazione non (solo) al concetto, ma (anche) all'idea*. Questa relazione non fonda una nuova classe, ma è, in ogni classe, ciò che riprende la singolarità dalla sua sinonimia, dal suo appartenere a quella classe, non verso un'assenza di nome o di appartenenza, ma verso il nome *stesso*, verso una pura e anonima omonimia. Mentre la rete dei concetti ci immette continuamente in relazioni sinonimiche, l'idea è ciò che interviene ogni volta a spezzare la pretesa di assolutezza di queste relazioni, mostrandone l'inconsistenza. *Qualunque* non significa quindi soltanto (nelle parole di Badiou): «sottratto all'autorità della lingua, senza nominazione possibile, indiscernibile»; esso significa, piú precisamente: ciò che, tenendosi in una semplice omonimia, nel puro esser-detto, appunto e soltanto per questo è innominabile: l'essere-nel-linguaggio del non-linguistico.

Ciò che resta qui senza nome è l'essere nominato, il nome stesso (*nomen innominabile*); sottratto all'autorità della lingua è solo l'essere-nel-linguaggio. Secondo la tautologia platonica che resta ancora e sempre da pensare: l'idea di una cosa è la cosa stessa, *il nome, in quanto nomina una cosa, è non altro che la cosa in quanto è nominata dal nome.*

XVIII
Schechina

Quando, nel novembre 1967, Guy Debord pubblicò *La società dello spettacolo*, la trasformazione della politica e dell'intera vita sociale in una fantasmagoria spettacolare non aveva ancora raggiunto la figura estrema che ci è oggi divenuta perfettamente familiare. Tanto piú notevole è l'implacabile lucidità della sua diagnosi.

Il capitalismo nella sua forma ultima – cosí egli argomenta, radicalizzando l'analisi marxiana del carattere di feticcio della merce, in quegli anni stoltamente disattesa – si presenta come una immensa accumulazione di spettacoli, in cui tutto ciò che era direttamente vissuto si è allontanato in una rappresentazione. Lo spettacolo non coincide, però, semplicemente con la sfera delle immagini o con ciò che chiamiamo oggi *media*: esso è «un rapporto sociale fra persone, mediato attraverso le immagini», l'espropriazione e l'alienazione della stessa socialità umana. Ovvero, con una formula lapidaria: «lo spettacolo è il capitale a un tal grado di accumulazione che diventa immagine». Ma, per ciò stesso, lo spettacolo non è che la pura forma della separazione: dove il mondo reale si è trasformato in un'immagine e le immagini diventano reali, la potenza pratica dell'uomo si distacca da se stessa e si presenta come un mondo a sé. È nella figura di questo mondo separato e organizzato attraverso i *media*, in cui le forme dello stato e dell'economia si compenetrano, che l'economia mercantile accede a uno statuto di sovranità assoluta e irresponsabile sull'intera vita sociale. Dopo aver falsificato l'insieme della produzione, essa può ora manipolare la percezione collettiva e impadronirsi della memoria e della comunicazione sociale, per trasformarle in un'unica merce spettacolare, in cui tutto può essere messo in discussione, tranne lo spettacolo stesso, che, in sé, non dice altro che: «ciò che appare è buono, e ciò che è buono appare».

In che modo oggi, nell'epoca del compiuto trionfo dello spettacolo, il pensiero può raccogliere l'eredità di Debord? Poiché è chiaro che lo spettacolo è il linguaggio, la stessa comunicatività o l'essere linguistico dell'uomo. Ciò significa che l'analisi marxiana va integrata nel senso che il capitalismo (o qualunque altro nome si voglia dare al processo che domina oggi la storia mondiale) non era rivolto solo all'espropriazione dell'attività produttiva, ma anche e soprattutto all'alienazione del linguaggio stesso, della stessa natura linguistica e comunicativa dell'uomo, di quel *logos* in cui un frammento di Eraclito identifica il Comune. La forma estrema di questa espropriazione del Comune è lo spettacolo, cioè la politica in cui viviamo. Ma ciò vuol dire, anche, che, nello spettacolo, è la nostra stessa natura linguistica che ci viene incontro rovesciata. Per questo (proprio perché ad essere espropriata è la possibilità stessa di un bene comune) la violenza dello spettacolo è così distruttrice; ma, per la stessa ragione, lo spettacolo contiene ancora qualcosa come una possibilità positiva, che può essere usata contro di esso.

Nulla assomiglia di piú a questa condizione, di quella colpa che i cabalisti chiamano «isolamento della Schechina» e che attribuiscono a Aher, uno dei quattro rabbi che, secondo una celebre *aggada* del Talmud, entrarono nel Pardes (cioè, nella conoscenza suprema). «Quattro rabbi, – dice la storia, – entrarono nel Paradiso, e cioè: Ben Azzai, Ben Zoma, Aher e rabbi Akiba... Ben Azzai gettò uno sguardo e morí... Ben Zoma guardò e impazzí... Aher tagliò i ramoscelli. Rabbi Akiba uscí illeso».

La Schechina è l'ultima delle dieci Sephiroth o attributi della divinità, quella che esprime, anzi, la stessa presenza divina, la sua manifestazione o abitazione sulla terra: la sua «parola». Il «taglio dei ramoscelli» di Aher è identificato dai cabalisti col peccato di Adamo, il quale, invece di contemplare la totalità delle Sephiroth, preferí contemplare l'ultima isolandola dalle altre e, in questo modo, separò l'albero della scienza da quello della vita. Come Adamo, Aher rappresenta l'umanità in quanto, facendo del sapere il proprio destino e la propria potenza specifica, isola la conoscenza e la parola, che non sono che la forma piú compiuta della manifestazione di Dio (la Schechina) dalle altre Sephiroth in cui egli si rivela. *Il rischio è qui che la parola – cioè l'illatenza e la rivelazione di qualcosa – si separi da ciò che rivela e acquisti una consistenza autonoma*. L'essere rivelata e manifesta – e, quindi, comune e partecipabile – si separa dalla cosa rivelata e si frappone tra essa e gli uomini. In questa condizione di esilio, la Schechina perde la sua potenza positiva e diventa malefica (i cabalisti dicono che essa «succhia il latte del male»).

È in questo senso che l'isolamento della Schechina esprime la nostra condizione epocale. Mentre, infatti, nel vecchio regime, l'estraneazione dell'essenza comunicativa dell'uomo si sostanziava in un presupposto che fungeva da fondamento comune, nella società spettacolare è questa stessa comunicatività, questa stessa essenza generica (cioè il linguaggio) che viene separata in una sfera autonoma. Ciò che impedisce la comunicazione è la comunicabilità stessa, gli uomini sono separati da ciò che li unisce. I giornalisti e i mediocrati sono il nuovo clero di questa alienazione della natura linguistica dell'uomo.

Nella società spettacolare, infatti, l'isolamento della Schechina raggiunge la sua fase estrema, in cui il linguaggio non soltanto si costituisce in una sfera autonoma, ma nemmeno rivela piú nulla – o, meglio, rivela il nulla di tutte le cose. Di Dio, del mondo, del rivelato non ne è nulla nel linguaggio: ma, in questo estremo svelamento nullificante, il linguaggio (la natura linguistica dell'uomo) resta ancora una volta nascosto e separato e attinge cosí per l'ultima volta il potere di destinarsi, non detto, in un'epoca storica e in uno stato: l'età dello spettacolo, o del nichilismo compiuto. Per questo, il potere fondato sulla supposizione di un fondamento vacilla oggi su tutto il pianeta e i regni della terra si avviano uno dopo l'altro verso il regime democratico-spettacolare che costituisce il compimento della forma stato. Ancor prima delle necessità economiche e dello sviluppo tecnologico, ciò che sospinge le nazioni della terra verso un unico destino comune è l'alienazione dell'essere linguistico, lo sradicamento di ogni popolo dalla sua dimora vitale nella lingua.

Ma, per ciò stesso, l'età che stiamo vivendo è anche quella in cui diventa per la prima volta possibile per gli uomini far esperienza della loro stessa essenza linguistica – non di questo o quel contenuto di linguaggio, ma del linguaggio *stesso*, non di questa o quella proposizione vera, ma del fatto stesso che si parli. La politica contemporanea è questo devastante *experimentum linguae*, che disarticola e svuota su tutto il pianeta tradizioni e credenze, ideologie e religioni, identità e comunità.

Solo coloro che riusciranno a compierlo fino in fondo, senza lasciare che il rivelante resti velato nel nulla che rivela, ma portando al linguaggio il linguaggio stesso, saranno i primi cittadini di una comunità senza presupposti né stato, in cui il potere nullificante e destinante di ciò che è comune sarà pacificato e la Schechina avrà cessato di succhiare il latte maligno della propria separatezza.

Come rabbi Akiba nell'*aggada* del Talmud, essi entreranno e usciranno illesi dal paradiso del linguaggio.

XIX
Tienanmen

Quale può essere la politica della singolarità qualunque, cioè di un essere la cui comunità non è mediata da alcuna condizione di appartenenza (l'esser rosso, italiano, comunista) né dalla semplice assenza di condizioni (comunità negativa, quale di recente è stata proposta in Francia da Blanchot), ma dall'appartenenza stessa? Una staffetta venuta da Pechino porta qualche elemento per una risposta.

Ciò che piú colpisce nelle manifestazioni del maggio cinese è, infatti, la relativa assenza di contenuti determinati di rivendicazione (democrazia e libertà sono nozioni troppo generiche e diffuse per costituire oggetto reale di un conflitto e la sola richiesta concreta, la riabilitazione di Hu Yao-Bang, è stata prontamente concessa). Tanto piú inspiegabile appare la violenza della reazione statale. È probabile, tuttavia, che la sproporzione sia soltanto apparente e che i dirigenti cinesi abbiano agito, dal loro punto di vista, con maggiore lucidità degli osservatori occidentali, esclusivamente preoccupati di portare argomenti alla sempre meno plausibile opposizione di democrazia e comunismo.

Poiché il fatto nuovo della politica che viene è che essa non sarà piú lotta per la conquista o il controllo dello stato, ma lotta fra lo stato e il non-stato (l'umanità), disgiunzione incolmabile delle singolarità qualunque e dell'organizzazione statale.

Ciò non ha nulla a che fare con la semplice rivendicazione del sociale contro lo stato, che, in anni recenti, ha piú volte trovato espressione nei movimenti di contestazione. Le singolarità qualunque non possono formare una *societas* perché non dispongono di alcuna identità da far valere, di alcun legame di appartenenza da far riconoscere. In ultima istanza, infatti, lo stato può riconoscere qualsiasi rivendicazione di identità – perfino (la storia dei rapporti fra stato e terrorismo nel nostro tempo ne è l'eloquente conferma) quella di una identità statale al proprio interno; ma che delle singolarità facciano comunità senza rivendicare un'identità, che degli uomini co-appartengano senza una rappresentabile condizione di appartenenza (sia pure nella forma di un semplice presupposto) – ecco ciò che lo stato non può in alcun caso tollerare. Poiché lo stato, come ha mostrato Badiou, non si fonda sul legame sociale, di cui sarebbe espressione, ma sul suo scioglimento, che vieta. Per esso, rilevante non è mai la singolarità come tale, ma solo la sua inclusione in una identità qualunque (ma che il *qualunque* stesso sia ripreso senza una identità – questa è una minaccia con cui lo stato non è disposto a venire a patti).

Un essere che fosse radicalmente privo di ogni identità rappresentabile sarebbe per lo stato assolutamente irrilevante. È quanto, nella nostra cultura, il dogma ipocrita della sacralità della nuda vita e le vacue dichiarazioni sui diritti dell'uomo hanno il compito di nascondere. *Sacro* qui non può avere altro senso che quello che il termine ha nel diritto romano: *sacer* è colui che è stato escluso dal mondo degli uomini e che, pur non potendo essere sacrificato, è lecito uccidere senza commettere omicidio (*neque fas est eum immolari, sed qui occidit parricidio non damnatur*). (È significativo, in questa prospettiva, che lo sterminio degli ebrei non sia stato rubricato né dai carnefici né dai loro giudici come omicidio, bensí, da questi ultimi, come delitto contro l'umanità, e che le potenze vittoriose abbiano voluto risarcire questa mancanza d'identità con la concessione di un'identità statale, a sua volta fonte di nuovi eccidi).

La singolarità qualunque, che vuole appropriarsi dell'appartenenza stessa, del suo stesso essere-nel-linguaggio e declina, per questo, ogni identità e ogni condizione di appartenenza, è il principale nemico dello stato. Dovunque queste singolarità manifesteranno pacificamente il loro essere comune, vi sarà una Tienanmen e, prima o poi, compariranno i carri armati.

L'irreparabile

Avvertenza

Questi frammenti possono essere letti come un commento al § 9 di *Essere e tempo* e alla prop. 6.44 del *Tractatus* di Wittgenstein. In entrambi questi testi, ciò che è in questione è il tentativo di definire un vecchio problema della metafisica, il rapporto fra essenza e esistenza, *quid est* e *quod est*. Se e in che misura questi frammenti, pur nella loro evidente lacunosità, riescano a pensare ulteriormente questa relazione, che la scarsa propensione del nostro tempo per l'ontologia (la filosofia prima) ha lasciato sbrigativamente da parte, risulterà chiaro solo per un pensiero che saprà comunque situarli su quello sfondo.

I

L'Irreparabile è che le cose siano cosí come sono, in questo o quel modo, consegnate senza rimedio alla loro maniera di essere. Irreparabili sono gli stati di cose, comunque essi siano: tristi o lievi, atroci o beati. Come tu sei, come il mondo è – questo è l'Irreparabile.

Rivelazione non significa rivelazione della sacralità del mondo, ma soltanto rivelazione del suo carattere irreparabilmente profano. (Il nome nomina sempre e soltanto cose). La rivelazione consegna il mondo alla profanazione e alla cosalità – e non è appunto questo ciò che è avvenuto? La possibilità della salvezza comincia soltanto a questo punto – è salvazione della profanità del mondo, del suo esser-cosí.

(Per questo, coloro che cercano di risacralizzare il mondo e la vita sono altrettanto empi di coloro che disperano per via della sua profanazione. Per questo la teologia protestante, che separa nettamente il mondo profano da quello divino, ha insieme torto e ragione: ragione, perché il mondo è stato irrevocabilmente consegnato dalla rivelazione (dal linguaggio) alla sfera profana; torto, perché è proprio in quanto profano che esso sarà salvato).

Il mondo – in quanto assolutamente, irreparabilmente profano – è Dio.

Le due forme dell'irreparabile secondo Spinoza, la sicurezza e la disperazione (*Eth.*, III, def. XIV-XV), sono, da questo punto di vista, identiche. Essenziale è soltanto che ogni causa di dubbio sia stata rimossa, che le cose stiano certamente e definitivamente cosí, non importa se da ciò nasca letizia o dolore. Come stato di cose, il paradiso è perfettamente equivalente all'inferno, anche se di segno opposto. (Ma se potessimo sentirci al sicuro nella disperazione, o disperare nella sicurezza, allora avremmo percepito, nello stato di cose, un margine, un limbo che non può essere contenuto dentro di esso).

La radice di ogni gioia e di ogni dolore puri è che il mondo sia cosí com'è. Un dolore o una gioia perché il mondo non è come pareva essere o come volevamo che fosse sono impuri e provvisori. Ma nel supremo grado della loro purezza, nel *cosí sia* detto al mondo quando è stata tolta ogni legittima causa di dubbio o di speranza, dolore e gioia non hanno ad oggetto qualità negative o positive, ma il puro *esser-cosí*, senza alcun attributo.

L'irreparabile

La proposizione, secondo cui Dio non si rivela *nel* mondo, si potrebbe anche esprimere dicendo: che il mondo non riveli Dio, questo è propriamente divino. (Dunque essa non è la proposizione «piú amara» del *Tractatus*).

Il mondo del felice e quello dell'infelice, il mondo del buono e quello del malvagio contengono gli stessi stati di cose, sono, quanto al loro esser-cosí, perfettamente identici. Il giusto non vive in un altro mondo. Il salvo e il perduto hanno le stesse membra. Il corpo glorioso non può che essere lo stesso corpo mortale. Quello che cambia non sono le cose, ma i loro limiti. È come se su di esse fosse ora sospesa qualcosa come un'aureola, una gloria.

L'Irreparabile non è né un'essenza né un'esistenza, né una sostanza né una qualità, né un possibile né un necessario. Esso non è propriamente una modalità dell'essere, ma è l'essere che già sempre si dà nelle modalità, *è* le sue modalità. Non è *cosí*, ma è *il* suo cosí.

II

Cosí. Il senso di questa paroletta è il piú difficile da afferrare. «Dunque le cose stanno cosí». Ma diremmo che per un animale il mondo stia cosí-e-cosí? Quand'anche potessimo descrivere esattamente il mondo dell'animale, rappresentarcelo veramente come esso lo vede (come nelle illustrazioni a colori dei libri di Uexküll, in cui è disegnato il mondo dell'ape, del paguro, della mosca) – tuttavia certamente quel mondo non conterrebbe il *cosí*, non sarebbe *cosí* per l'animale: non sarebbe irreparabile.

L'esser-cosí non è una sostanza, di cui *cosí* esprimerebbe una determinazione o una qualificazione. L'essere non è un presupposto, che stia prima o dietro le sue qualità. L'essere, che è cosí, irreparabilmente, *è* il suo *cosí*, è soltanto il suo modo di essere. (Il cosí non è un'essenza che determina un'esistenza, ma questa trova la sua essenza nel suo stesso esser-cosí, nel suo essere la propria determinazione).

Cosí significa: non altrimenti. (Questa foglia è verde, dunque essa non è rossa, né gialla). Ma è pensabile un esser-cosí che neghi tutte le possibilità, ciascun predicato – che sia soltanto il *cosí*, tale qual è, e in nessun altro modo? Questo sarebbe il solo modo corretto di intendere la teologia negativa: né questo né quello, né cosí né cosí – ma cosí com'è, con tutti i suoi predicati (tutti i predicati non è un predicato). *Non altrimenti* nega ciascun predicato come proprietà (sul piano dell'essenza), ma li riprende tutti come im-proprietà (sul piano dell'esistenza).

(Un tale essere sarebbe un'esistenza pura, singolare e, tuttavia, perfettamente qualunque).

Come anafora, il termine *cosí* rimanda a un termine precedente, attraverso il quale soltanto esso (che, in sé, è sprovvisto di senso) individua il proprio referente.

Ma qui noi dobbiamo invece pensare un'anafora che non rimanda piú ad alcun senso e ad alcun referente, un *cosí* assoluto, che non presuppone piú nulla, interamente esposto.

I due caratteri che, secondo i grammatici, definiscono il significato del pronome, l'ostensione e la relazione, la deissi e l'anafora, devono qui essere pensati da capo. Il modo in cui essi sono stati compresi ha determinato fin dall'origine la dottrina dell'essere, cioè la filosofia prima.

L'essere puro (la *substantia sine qualitate*), che è in questione nel pronome, è stato costantemente inteso secondo lo schema della presupposizione. Nell'ostensione, attraverso la capacità del linguaggio di far riferimento all'istanza di discorso in atto, è presupposto l'immediato esserci di un non-linguistico, che il linguaggio non può dire, ma solo mostrare (per questo il mostrare ha fornito il modello dell'esistenza e della denotazione, il *tode ti* aristotelico). Nell'anafora, attraverso il riferimento a un termine già menzionato nel discorso, questo presupposto è posto in relazione al linguaggio come il soggetto (*hypokeimenon*) su cui porta ciò che si dice (per questo l'anafora ha fornito il modello dell'essenza e del senso, il *ti hen einai* aristotelico). Il pronome, attraverso la deissi, presuppone l'essere irrelato, e, attraverso l'anafora, ne fa il «soggetto» del discorso. Cosí l'anafora presuppone l'ostensione e l'ostensione rimanda all'anafora (in quanto il deittico suppone un'istanza di discorso in atto): esse si implicano a vicenda. (Questa è l'origine del doppio significato del termine *ousia*: il singolo individuo ineffabile e la sostanza che sta sotto i predicati).

Nella doppia significazione del pronome si esprime cosí la frattura originaria dell'essere in essenza e esistenza, senso e denotazione, senza che venga mai alla luce come tale la loro relazione. Ciò che deve essere qui pensato è, appunto, questa relazione, che non è né denotazione né senso, né ostensione né anafora, ma la loro reciproca implicazione. Non il non-linguistico, oggetto irrelato di una pura ostensione, né il suo essere nel linguaggio come ciò che è detto nella proposizione, ma l'essere-nel-linguaggio-del-non-linguistico, la cosa stessa. Cioè: non la presupposizione di un essere, ma la sua esposizione.

La relazione espositiva fra l'esistenza e l'essenza, la denotazione e il senso, non è una relazione di identità (la stessa cosa, *idem*), ma di ipseità (la cosa stessa, *ipsum*). Molte confusioni, in filosofia, nascono dall'aver confuso questa con quella. La cosa del pensiero non è l'identità, ma la cosa *stessa*. Questa non è un'altra cosa, verso la quale è trascesa la cosa, ma neppure semplicemente la stessa cosa. La cosa è qui trascesa verso se *stessa*, verso il suo essere tale qual è.

Tale quale. Qui l'anafora *tale* non rimanda a un termine referenziale precedente (a una sostanza prelinguistica) e *quale* non serve a identificare un referente che dia al *tale* il suo senso. Il *quale* non ha altra esistenza che il *tale*, e il *tale* non ha altra essenza che il *quale*. Essi si contraggono l'uno sull'altro, si espongono a vicenda, e ciò che esiste è l'esser-tale, una tal-qualità assoluta, che non rimanda ad alcun presupposto. *Arché anypothetos*.

Assumere il mio esser-tale, la mia maniera di essere, non come questa o quella qualità, questo o quel carattere, virtú o vizio, ricchezza o miseria. Le mie qualità, il mio esser-cosí non sono qualificazioni di una sostanza (di un soggetto) che resti dietro di esse, e che io veramente sarei. Io non sono mai *questo* o *quello*, ma sempre *tale, cosí*. *Eccum sic*: assolutamente. Non possesso, ma limite; non presupposto, ma esposizione.

L'esposizione, cioè l'essere tale-quale, non è alcuno dei predicati reali (l'esser-rosso, caldo, piccolo, liscio...), ma non è nemmeno altro da essi (altrimenti sarebbe un che di altro che si aggiungerebbe al concetto di una cosa e, dunque, ancora un predicato reale). Che tu sia esposto non è una delle tue qualità, ma neppure altro da queste (potremmo dire, anzi, che è non-altro che quelle). Mentre i predicati reali esprimono relazioni all'interno del linguaggio, l'esposizione è pura relazione col linguaggio stesso, col suo aver-luogo. Essa è ciò che avviene a qualcosa (piú precisamente: l'aver luogo di qualcosa) per il fatto di essere in relazione al linguaggio, di esser-detto. Una cosa è (detta) rossa e, per questo, in quanto, cioè, è *detta* tale e si riferisce a sé come *tale* (non semplicemente come rossa), essa è esposta. L'esistenza come esposizione è l'esser-*tale* di un *quale*. (La categoria della *talità* è, in questo senso, la categoria fondamentale, che resta impensata in ogni qualità).

Esistere significa: qualificarsi, sottoporsi al tormento dell'esser quale (*inqualieren*). Per questo la qualità, l'esser-cosí di ciascuna cosa è il suo supplizio e la sua sorgente – il suo limite. Come tu sei – il tuo viso – è il tuo supplizio e la tua sorgente. E ciascun essere è e ha da essere il suo modo di essere, la sua maniera sorgiva: essere *tale* qual è.

Il *tale* non presuppone il *quale*: lo espone, è il suo aver-luogo. (Solo in questo senso si può dire che l'essenza giace – *liegt* – nell'esistenza). Il *quale* non suppone il *tale*: è la sua esposizione, il suo essere pura esteriorità. (Solo in questo senso si può dire che l'essenza avvolge – *involvit* – l'esistenza).

Il linguaggio dice qualcosa come qualcosa: l'albero come «albero», la casa come «casa». Il pensiero si è concentrato sul primo qualcosa (l'esistenza, che qualcosa sia) o sul secondo (l'essenza, che cos'è qualcosa), sulla loro identità o differenza. Ma ciò che era propriamente da pensare – la parola *come*, la relazione di esposizione – è rimasto impensato. Questo *come* originario è il tema della filosofia, la cosa del pensiero.

Heidegger ha posto in luce la struttura dell'*in quanto* (*als*) che caratterizza il giudizio apofantico. Questo si fonda sull'*in quanto* come struttura circolare della comprensione. La comprensione comprende e scopre qualcosa sempre già a partire da qualcosa e in quanto qualcosa, retrocedendo, per cosí dire, verso ciò presso cui già si trovava. Nel giudizio questa struttura del «qualcosa in quanto qualcosa» assume la forma che ci è familiare della relazione soggetto predicato. Il giudizio «il gesso è bianco» dice il gesso in quanto bianco e, in questo modo, nasconde l'intorno-a-che nell'in quanto-che-cosa attraverso cui esso è compreso.

Ma, con ciò, la struttura e il senso dello *als*, del «come», non sono ancora chiariti. Nel dire qualcosa come «qualcosa», non è soltanto l'intorno-a-che (il primo qualcosa) a essere occultato, ma innanzitutto il *come* stesso. Il pensiero che cerca di afferrare l'essere *come* essere, retrocede verso l'ente senza aggiungere ad esso una determinazione ulteriore, ma senza neppure presupporlo in una ostensione come il soggetto ineffabile della predicazione: comprendendolo nel suo esser-tale, nel medio del suo *come*, ne coglie la pura illatenza, la pura esteriorità. Esso non dice piú *qualcosa* come «*qualcosa*», ma porta alla parola il *come* stesso.

Senso e denotazione non esauriscono la significazione linguistica. Occorre introdurre un terzo termine: la cosa stessa, l'essere tale quale, che non è né il denotato né il senso. (Questo è il senso della teoria platonica delle idee).

Non l'essere assolutamente non posto e irrelato (*athesis*), né l'essere posto, relativo e fattizio, ma una esposizione e una fatticità eterne: *aeisthesis*, una sensazione eterna.

Un essere che non è mai esso stesso, ma è solo l'esistente. Non è mai esistente, ma *è* l'esistente, integralmente e senza riparo. Esso non fonda né destina né nullifica l'esistente: è solo il suo essere esposto, il suo nimbo, il suo limite. L'esistente non rimanda piú all'essere: è nel medio dell'essere e l'essere è interamente abbandonato nell'esistente. Senza riparo e, tuttavia, salvo – salvo nel suo essere irreparabile.

L'essere, che è l'esistente, è per sempre salvo dal rischio di esistere esso stesso come cosa o di essere nulla. L'esistente, abbandonato nel medio dell'essere, è perfettamente esposto.

Attico definisce l'idea: «*paraitia tou einai toiauta ecasth'oiaper esti*», per ciascuna cosa, non causa, ma *paracausa*, e non semplicemente dell'essere, ma dell'esser-tale-qual-è.

L'esser-tale di ciascuna cosa è l'idea. È come se la forma, la conoscibilità, la fattezza di ogni ente si staccasse da esso, non come un'altra cosa, ma come un'*intentio*, un angelo, un'immagine. Il modo di essere di questa *intentio* non è una semplice esistenza né una trascendenza: è una paraesistenza o una paratrascendenza, che dimora a fianco alla cosa (in tutti i sensi della preposizione *pará*), così a fianco da confondersi *quasi* con essa, da nimbarla. Essa non è l'identità della cosa e, tuttavia, non è altro (è *non altro*) che questa. L'esistenza dell'idea è, cioè, un'esistenza paradigmatica: il mostrarsi accanto a se stessa di ciascuna cosa (*para-deigma*). Ma questo mostrarsi accanto è un limite – o, piuttosto, lo sfrangiarsi, l'indeterminarsi di un limite: un'aureola.

(Lettura gnostica dell'idea platonica. Sono questo tanto gli angeli-intelligenze di Avicenna e dei poeti d'amore che l'*eidos* di Origene e la veste luminosa del *Canto della perla*. E in questa immagine irreparabile ha luogo la salvezza).

Una tal-qualità eterna: è questo l'idea.

III

La redenzione non è un evento in cui ciò che era profano diventa sacro e ciò che era stato perduto viene ritrovato. La redenzione è, al contrario, la perdita irreparabile del perduto, la definitiva profanità del profano. Ma, proprio per questo, essi toccano ora il loro fine – un limite avviene.

Possiamo avere speranza solo in ciò che è senza rimedio. Che le cose stiano cosí e cosí – questo è ancora nel mondo. Ma che ciò sia irreparabile, che quel *cosí* sia senza rimedio, che noi possiamo contemplarlo come tale – questo è l'unico varco fuori del mondo. (Il carattere piú intimo della salvezza: che siamo salvi solo nel punto in cui non vogliamo piú esserlo. Per questo, in quel punto, c'è salvezza – ma non per noi).

Esser-cosí; essere il proprio modo di essere: questo non possiamo afferrarlo come una cosa. Esso non è, anzi, che l'evacuazione di ogni cosalità. (Per questo i logici indiani dicevano che la *sicceità* delle cose non è altro che il loro esser prive di una natura propria, la loro vacuità, e che fra il mondo e il nirvana non c'è la piú piccola differenza).

L'uomo è l'essere che, imbattendosi nelle cose e unicamente in questo imbattersi, si apre al non-cosale. E inversamente: colui che, essendo aperto al non-cosale, è, unicamente per questo, consegnato irreparabilmente alle cose.
Non-cosalità (spiritualità) significa: perdersi nelle cose, perdersi fino a non poter concepire altro che cose. E solo allora, nell'esperienza dell'irrimediabile cosalità del mondo, urtarsi a un limite, toccarlo. (Questo è il senso della parola: esposizione).

L'aver-luogo delle cose non ha luogo nel mondo.
L'utopia è la stessa topicità delle cose.

Cosí sia. In ogni cosa affermare semplicemente il *cosí*, *sic*, al di là del bene e del male. Ma *cosí* non significa semplicemente: in questo o quel modo, con quelle certe proprietà. 'Cosí sia' significa: sia il cosí. Cioè: *sí*.
(È questo il senso del *sí* di Nietzsche: il *sí* è detto non semplicemente a uno stato di cose, ma al suo esser-*cosí*. Solo per questo esso può tornare in eterno. Il *cosí* è eterno).

L'esser-cosí di ciascuna cosa è, in questo senso, incorruttibile. (La dottrina origeniana secondo cui ciò che risorge non è la sostanza corporea, ma l'*eidos*, non significa altro).

Dante classifica le lingue umane secondo il loro modo di dire *sí*: oc, oil, sí. *Sí*, *cosí*, è il nome del linguaggio, ne esprime il senso: l'essere-nel-linguaggio-del-non-linguistico. Ma l'esistenza del linguaggio è il *sí* detto al mondo perché esso stia sospeso sul nulla del linguaggio.

Nel principio di ragione («Vi è una ragione, per cui qualcosa è piuttosto che nulla»), l'essenziale non è *che qualcosa sia* (l'essere) né che *qualcosa non sia* (il nulla), ma che qualcosa sia *piuttosto* che il nulla. Per questo, esso non può essere letto come una contrapposizione fra due termini: *è / non è*, ma contiene un terzo termine: il *piuttosto* (*potius*, da *potis*, che può), il poter non non-essere.
(La meraviglia non è che qualcosa abbia potuto essere, ma che abbia potuto non non-essere).

Il principio di ragione si può esprimere in questo modo: «il linguaggio (la ragione) è ciò per cui qualcosa esiste piuttosto (*potius*, piú potentemente) che nulla». Il linguaggio apre la possibilità del non-essere, ma, insieme, anche una possibilità piú forte: l'esistenza, che qualcosa sia. Quel che il principio propriamente dice è, però, che l'esistenza non è un dato inerte, ma che ad essa inerisce un *potius*, una potenza. Ma questa non è una potenza di essere, contrapposta a una potenza di non essere (chi deciderebbe fra di esse?) – è un poter non non-essere. Il contingente non è semplicemente il non-necessario, ciò che può non essere, ma ciò che, essendo il *cosí*, essendo soltanto il suo modo di essere, può il *piuttosto*, può non non-essere. (L'esser-cosí non è contingente: è necessariamente contingente. Non è nemmeno necessario: è contingentemente necessario).

«L'affetto verso una cosa che immaginiamo essere libera è piú grande di quello verso una cosa necessaria e, conseguentemente, ancora piú grande dell'affetto per una cosa che immaginiamo possibile o contingente. Ma immaginare una cosa come libera non può significare altro che semplicemente immaginarla, ignorando le cause dalle quali essa fu determinata ad agire. Pertanto l'affetto verso una cosa che semplicemente immaginiamo è, a parità di condizioni, piú grande di quello per una cosa necessaria, possibile o contingente e, di conseguenza, è il piú grande di tutti» (*Eth.*, V, prop. V, Dim.).

Vedere semplicemente qualcosa nel suo essere-cosí: irreparabile, ma non per questo necessario; cosí, ma non per questo contingente – è l'amore.

Nel punto in cui percepisci l'irreparabilità del mondo, in quel punto esso è trascendente.

Come il mondo è – questo è fuori del mondo.

*Stampato per conto della Casa editrice Einaudi
presso la Stamperia Artistica Nazionale, s. p. a., Torino*

C.L. 11801

Ristampa									Anno
0	1	2	3	4	5	6	7	8	90 91 92 93 94 95 96

Saggi brevi

Questa collana vuole proporre saggi che significhino anzitutto piacere della lettura. Scritti di letteratura e d'arte, di scienze umane e di scienze esatte, riflessioni e interventi su temi al centro della cultura contemporanea. Saggi brevi che, andando oltre il tecnicismo specialistico, ambiscano porsi come punto d'incontro di esperienze diverse, e sappiano tener desta la tensione intellettuale del lettore in virtú di una misura di espressione, di resa, di stile. Saggi brevi come luogo di ragionamento disteso, di pensiero mobile, di curiosità aperta verso territori da esplorare o da rivisitare.

1   Italo Calvino, *Sulla fiaba*.
2   Franz Kafka, *Relazioni*.
3   Raymond Queneau, *Una storia modello*.
4   Nathalie Sarraute, *Paul Valéry e l'elefantino. Flaubert il precursore*.
5   Cesare Garboli, *Scritti servili*.
6   Gianfranco Contini, *La parte di Benedetto Croce nella cultura italiana*.
7   Piergiorgio Bellocchio, *Dalla parte del torto*.
8   Elsa Morante, *Diario 1938*.
9   André Chastel, *La grottesca*.
10 Enrico Filippini, *La verità del gatto. Interviste e ritratti 1977-1987*.
11 Hermann Broch, *Il Kitsch*.
12 Giorgio Agamben, *La comunità che viene*.